OCÉAN ARCTIQUE

30° E   60° E   90° E   120° E   150° E   180° E

RUSSIE

SUÈDE
FINLANDE

UKRAINE
AZERBAÏDJAN
ARMÉNIE
GÉORGIE
TURQUIE

KAZAKHSTAN

MONGOLIE

CORÉE
DU NORD   JAPON
CORÉE
DU SUD

OUZBÉKISTAN
KIRGHIZSTAN
TURKMÉNISTAN
TADJIKISTAN

CHINE

TUNISIE
CHYPRE
LIBAN   SYRIE
ISRAËL   IRAK
JORDANIE

IRAN   AFGHANISTAN

TAIWAN

OCÉAN PACIFIQUE

LIBYE
ÉGYPTE
KOWEÏT
BAHREÏN   QATAR
ARABIE
SAOUDITE   OMAN

PAKISTAN

NÉPAL   BHOUTAN

INDE

MYANMAR   LAOS
BANGLADESH   THAÏLANDE

IGER
TCHAD
ÉRYTHRÉE
SOUDAN

YÉMEN
ÉMIRATS
ARABES UNIS
DJIBOUTI

VIÊT NAM

PHILIPPINES

RIA
RÉPUBLIQUE
CENTRAFRICAINE
JEROUN

ÉTHIOPIE

SRI
LANKA

CAMBODGE
BRUNEI

SOMALIE

OCÉAN INDIEN   SINGAPOUR

MALAYSIA

GABON
RÉPUBLIQUE
DÉMOCRATIQUE
DU CONGO
CONGO

OUGANDA
KENYA
RWANDA
BURUNDI

INDONÉSIE

PAPOUASIE
NOUVELLE-
GUINÉE

ÎLES SALO-
MON

TANZANIE

TIMOR
ORIENTAL

ANGOLA
ZAMBIE

COMORES
MALAWI

VANUATU

NAMIBIE
ZIMBABWE
MOZAMBIQUE

FIDJI

BOTSWANA
MADAGASCAR

Nouvelle-
Calédonie
(FRANCE)

AUSTRALIE

SWAZILAND

AFRIQUE
DU SUD   LESOTHO

NOUVELLE
ZÉLANDE

Antarctique

NORVÈGE
SUÈDE
ESTONIE
DANEMARK
LETTONIE
LITUANIE
RUSSIE
BIÉLORUSSIE
PAYS-BAS
ALLEMAGNE
POLOGNE
BELGIQUE   LUXEMBOURG
RÉPUBLIQUE
TCHÈQUE   UKRAINE
SLOVAQUIE
LIECHTENSTEIN
AUTRICHE   MOLDAVIE
HONGRIE
FRANCE   SUISSE   SLOVÉNIE   ROUMANIE
ITALIE   CROATIE
BOSNIE   SERBIE-
HERZÉGOVINE   MONTÉNÉGRO
BULGARIE
ALBANIE
MACÉDOINE   GRÈCE

D1379230

Clément Robillard • Alain Parent

ATLAS
DE GÉOGRAPHIE ET D'HISTOIRE

2e et 3e cycle du primaire

Consultation

Jacques Richer
Consultant en histoire

Sylvie Savoie
Consultante en histoire amérindienne

François Turcotte-Goulet
Consultant en cartographie

Chenelière
Éducation

Atlas de géographie et d'histoire
Géographie, histoire et éducation à la citoyenneté

Clément Robillard
Alain Parent

© 2005 Les Éditions de la Chenelière inc.

Édition : Ginette Létourneau
Supervision : Marie Soleil Lebeau, Claire Campeau
Révision linguistique : Christine Guilledroit
Correction d'épreuves : Caroline Bouffard, Marie Théorêt
Conception graphique : Cyril Berthou et Valérie Deltour
Direction artistique : Cyril Berthou
Mise en pages : Josée Brunelle
Réalisation des cartes : Stéphane Bourrelle

Remerciements

Nous remercions toutes les enseignantes et tous les enseignants qui ont collaboré de près ou de loin au développement de cet ouvrage. Pour leur travail d'évaluation et pour leurs commentaires avisés, nous tenons particulièrement à remercier :

Lucie Collard, C.S. des Patriotes
Stéphanie Dubois, C.S. de la Pointe-de-l'Île
Anne-Marie Kelly, C.S. de Laval
Karine Lamoureux, C.S. des Affluents
Sophie Laporte, C.S. des Samares

**Chenelière
Éducation**

7001, boul. Saint-Laurent
Montréal (Québec)
Canada H2S 3E3
Téléphone : (514) 273-1066
Télécopieur : (514) 276-0324
info@cheneliere-education.ca

Tous droits réservés.

Toute reproduction, en tout ou en partie, sous quelque forme et par quelque procédé que ce soit, est interdite sans l'autorisation écrite préalable de l'Éditeur.

ISBN 2-7651-0301-1

Dépôt légal : 2ᵉ trimestre 2005
Bibliothèque nationale du Québec
Bibliothèque nationale du Canada

Imprimé au Canada

1 2 3 4 5 F 09 08 07 06 05

Nous reconnaissons l'aide financière du gouvernement du Canada par l'entremise du Programme d'aide au développement de l'industrie de l'édition (PADIÉ) pour nos activités d'édition.

Chenelière Éducation remercie le gouvernement du Québec de l'aide financière qu'il lui a accordée pour l'édition de cet ouvrage par l'intermédiaire du Programme de crédit d'impôt pour l'édition de livres (SODEC).

DANGER

LE
PHOTOCOPILLAGE
TUE LE LIVRE

ÉCOLE LIONEL-GROULX
2725 rue Plessis
Longueuil, J4L 1S3
Téléphone: 651-6104
Télécopieur: 651-6821

ATLAS
DE GÉOGRAPHIE ET D'HISTOIRE

Au personnel de l'école du Parc-Orléans
et de l'école l'Escale et du Plateau
pour leur engagement.

CLÉMENT

À tous les jeunes citoyens du monde,
et pour la paix future…

ALAIN

Table des matières

16ᵉ siècle

17ᵉ siècle

18ᵉ siècle

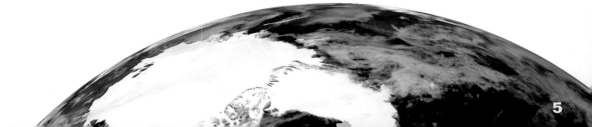

À propos de l'ATLAS de géographie et d'histoire

Qu'est-ce qu'un atlas ?

Un atlas est avant tout un recueil de cartes géographiques. C'est un ouvrage de référence qui permet de découvrir les caractéristiques de la Terre et des sociétés qui l'ont marquée.

Les particularités de cet atlas

Cet atlas est *géographique* parce qu'il présente le territoire de différentes sociétés. Il contient de très nombreuses cartes. Des photographies, des graphiques et de courts textes aident à traiter toute l'information contenue dans ces cartes.

Cet atlas est aussi *historique* parce qu'il permet de découvrir les changements d'une société sur son territoire. Il contient des lignes du temps, des cartes historiques, des illustrations, des graphiques et de courts textes qui présentent des lieux, des personnages ou des événements du passé.

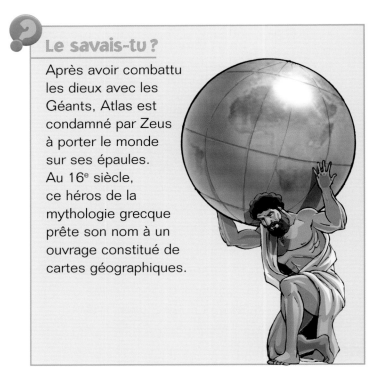

Le savais-tu ?

Après avoir combattu les dieux avec les Géants, Atlas est condamné par Zeus à porter le monde sur ses épaules. Au 16e siècle, ce héros de la mythologie grecque prête son nom à un ouvrage constitué de cartes géographiques.

Comment se retrouver dans cet atlas ?

La table des matières

La table des matières, aux pages 4 et 5, présente le contenu de l'atlas. Ce contenu est essentiellement réparti en cinq siècles, du 16e au 20e siècle. Chaque siècle est associé à une couleur et à un symbole, par exemple ██ pour le 16e siècle. Dans chaque siècle, l'information sur les sociétés est abordée selon le programme de géographie, d'histoire et d'éducation à la citoyenneté.

Le glossaire

Le glossaire, aux pages 136 à 138, regroupe les mots difficiles écrits en **rouge** au fil des pages. Ces mots sont présentés par ordre alphabétique. Le glossaire permet de mieux comprendre les textes de l'atlas.

L'index des sujets

L'index, aux pages 139 à 141, comprend la liste des sujets traités dans l'atlas.

Le siècle en bref

Le siècle en bref, au début de chaque siècle, indique les principaux événements qui ont marqué les sociétés à l'étude. Une flèche p. 98 renvoie aux pages appropriées de l'atlas.

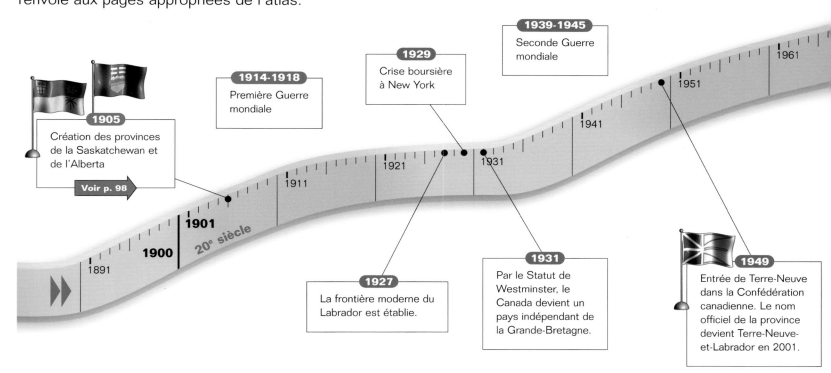

1939-1945
Seconde Guerre mondiale

1929
Crise boursière à New York

1914-1918
Première Guerre mondiale

1961

1951

1941

1905
Création des provinces de la Saskatchewan et de l'Alberta

Voir p. 98

1931

1921

1911

1901

1900

20ᵉ siècle

1891

1927
La frontière moderne du Labrador est établie.

1931
Par le Statut de Westminster, le Canada devient un pays indépendant de la Grande-Bretagne.

1949
Entrée de Terre-Neuve dans la Confédération canadienne. Le nom officiel de la province devient Terre-Neuve-et-Labrador en 2001.

Pourquoi y a-t-il une section de cartes thématiques nommée Aujourd'hui ?

La section Aujourd'hui, aux pages 116 à 135, présente des cartes actuelles du Canada et du monde. Ces cartes servent de référence.

Au fil des pages, un symbole semblable à

VOIR VÉGÉTATION   p. 118   renvoie à des cartes

de cette section ou des autres siècles.

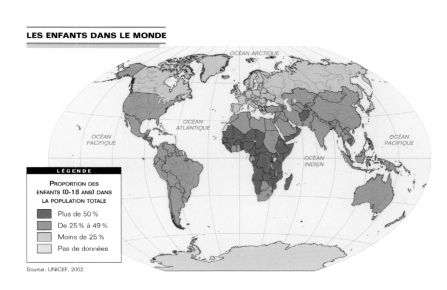

LES ENFANTS DANS LE MONDE

OCÉAN ARCTIQUE

OCÉAN ATLANTIQUE

OCÉAN PACIFIQUE

OCÉAN PACIFIQUE

OCÉAN INDIEN

LÉGENDE

PROPORTION DES ENFANTS (0-18 ANS) DANS LA POPULATION TOTALE

- Plus de 50 %
- De 25 % à 49 %
- Moins de 25 %
- Pas de données

Source : UNICEF, 2002.

Quelles sont les rubriques de l'atlas ?

Partout dans l'atlas, des rubriques apportent des compléments d'information.

La rubrique Le savais-tu ? donne des renseignements supplémentaires.

La rubrique As-tu remarqué ? attire l'attention sur un détail particulier d'une carte ou d'une illustration. Elle aide à établir des liens entre une carte et une illustration, ou un court texte.

La rubrique Les traces du passé souligne qu'aujourd'hui, il reste des traces des sociétés d'autrefois. Elle permet de mieux comprendre le présent.

Le savais-tu ?

As-tu remarqué ?

Les traces du passé

Des images et des cartes

L'*Atlas de géographie et d'histoire* est un ensemble organisé de documents présentés sous plusieurs formes.

Les photographies et les illustrations

Les photographies montrent des réalités telles qu'elles étaient à une autre époque ou telles qu'elles sont de nos jours. Les illustrations sont des images de ce qui existait autrefois. Elles présentent aussi des scènes plus récentes qui regroupent une foule de renseignements. De courts textes accompagnent les photographies et les illustrations afin de mieux les comprendre et de bien les situer dans le temps et dans l'espace.

Le savais-tu ?

L'interprétation d'une photo ou d'une illustration peut se faire de la manière suivante :

Arrière-plan

Plan moyen

Plan rapproché

Le plan rapproché montre des souches d'arbres abattus et de l'herbe. Cet espace sera probablement cultivé.

Le plan moyen présente une maison et des personnes. La maison est construite en bois et elle n'est pas terminée.

L'arrière-plan comporte de grandes épinettes de la forêt boréale.

Les cartes

Les éléments présents sur la plupart des cartes fournissent des renseignements essentiels.

Le titre

Le titre présente le sujet de la carte.

Le médaillon

Le médaillon situe le territoire sur la carte dans un ensemble géographique plus grand, par exemple la province de Québec ou une partie d'un continent.

Les méridiens et les parallèles

Ces lignes imaginaires sont tracées sur les cartes. Elles servent à situer des lieux à la surface de la Terre.

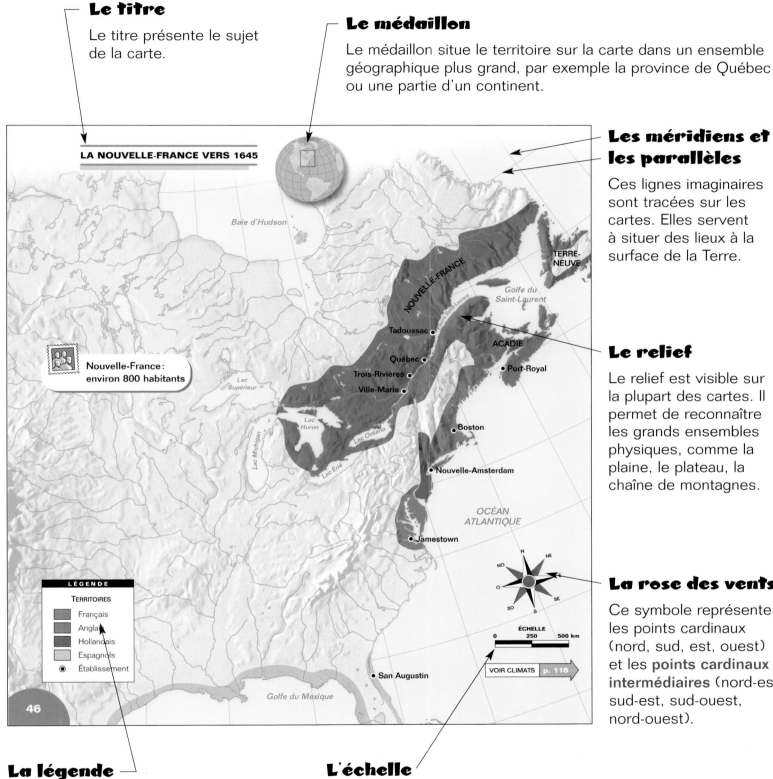

LA NOUVELLE-FRANCE VERS 1645

Baie d'Hudson

Nouvelle-France : environ 800 habitants

Lac Supérieur

Lac Michigan

Lac Huron

Lac Érié

Lac Ontario

NOUVELLE-FRANCE

TERRE-NEUVE

Golfe du Saint-Laurent

Tadoussac

Québec

Trois-Rivières

Ville-Marie

ACADIE

Port-Royal

Boston

Nouvelle-Amsterdam

OCÉAN ATLANTIQUE

Jamestown

San Augustin

Golfe du Mexique

46

LÉGENDE

TERRITOIRES
Français
Anglais
Hollandais
Espagnols
◉ Établissement

ÉCHELLE
0   250   500 km

VOIR CLIMATS p. 116

Le relief

Le relief est visible sur la plupart des cartes. Il permet de reconnaître les grands ensembles physiques, comme la plaine, le plateau, la chaîne de montagnes.

La rose des vents

Ce symbole représente les points cardinaux (nord, sud, est, ouest) et les **points cardinaux intermédiaires** (nord-est, sud-est, sud-ouest, nord-ouest).

La légende

La légende permet de décoder la carte. Elle présente la signification des couleurs et des symboles utilisés sur la carte.

L'échelle

Pour représenter un grand territoire sur une carte, il faut le réduire, tout en respectant ses proportions. L'échelle indique le rapport entre une longueur sur la carte et la distance réelle.

D'autres formes de renseignements

Les cartes anciennes

Tout comme certaines photographies, les cartes anciennes reflètent l'époque où elles ont été dessinées. Elles révèlent les connaissances et la vision du monde des cartographes ainsi que les moyens qu'ils avaient à leur disposition.

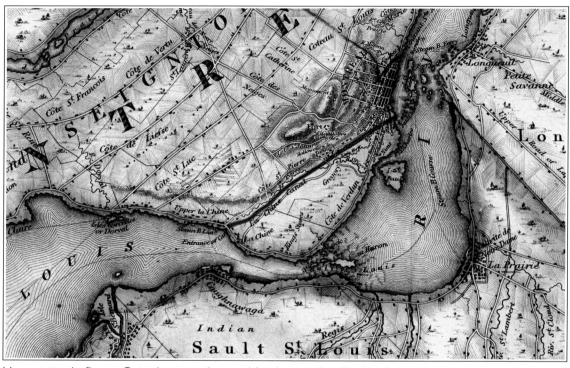

Une partie du fleuve Saint-Laurent, le canal Lachine et la ville de Montréal vers 1830

Les tableaux et les climatogrammes

Les tableaux présentent des données ou des renseignements disposés en lignes et en colonnes pour en faciliter la lecture.

Les climatogrammes sont des graphiques qui présentent le climat moyen d'une région pendant une année.

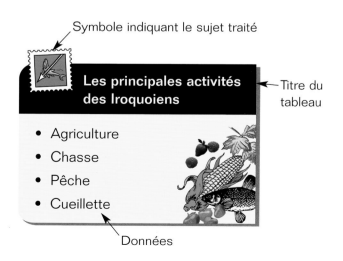

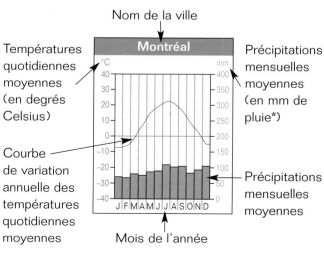

*10 mm de neige équivalent à 1 mm de pluie.

Les graphiques

Les graphiques présentent des données statistiques de différentes manières.

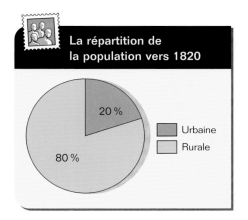

La répartition de la population vers 1820

20 %

80 %

Urbaine
Rurale

Certains montrent des proportions.

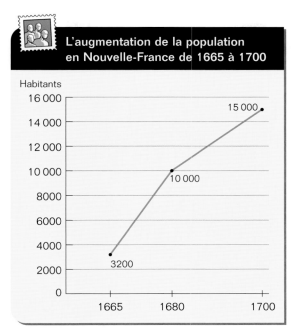

L'augmentation de la population en Nouvelle-France de 1665 à 1700

Habitants

16 000
14 000
12 000
10 000
8000
6000
4000
2000
0

15 000

10 000

3200

1665   1680   1700

D'autres décrivent une évolution.

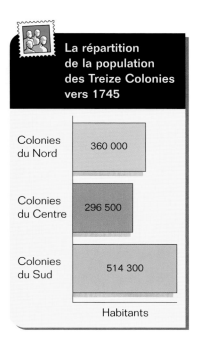

La répartition de la population des Treize Colonies vers 1745

Colonies du Nord   360 000

Colonies du Centre   296 500

Colonies du Sud   514 300

Habitants

D'autres encore permettent de comparer des données.

Les lignes du temps

Les lignes du temps représentent une période de temps divisée en intervalles égaux (année, décennie, siècle). Elles permettent de situer plusieurs événements dans le temps et de calculer le nombre d'années entre ces événements.

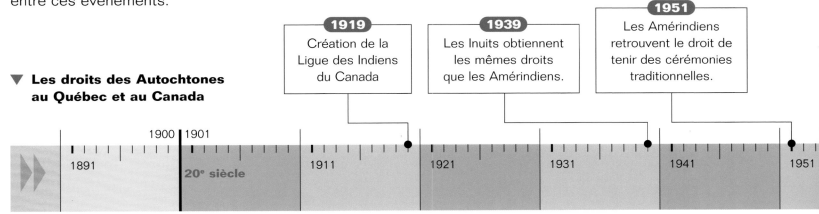

1919
Création de la Ligue des Indiens du Canada

1939
Les Inuits obtiennent les mêmes droits que les Amérindiens.

1951
Les Amérindiens retrouvent le droit de tenir des cérémonies traditionnelles.

▼ **Les droits des Autochtones au Québec et au Canada**

1900 | 1901

1891

20ᵉ siècle

1911   1921   1931   1941   1951

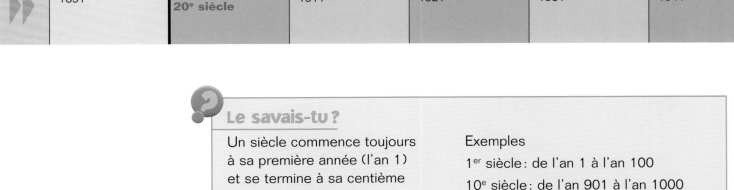

Le savais-tu ?

Un siècle commence toujours à sa première année (l'an 1) et se termine à sa centième année (l'an 100).

Exemples

1ᵉʳ siècle : de l'an 1 à l'an 100

10ᵉ siècle : de l'an 901 à l'an 1000

16ᵉ siècle : de l'an 1501 à l'an 1600

21ᵉ siècle : de l'an 2001 à l'an 2100

Les cartes : les parallèles et les méridiens

Des parallèles et des méridiens sont indiqués sur la plupart des cartes de l'atlas. Il s'agit d'un quadrillage créé par les cartographes pour tracer des cartes plus précises et pour situer les lieux sur la Terre.

Les parallèles et la latitude

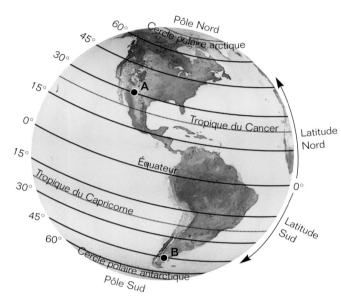

Le point A est situé à 30° de latitude Nord (30° N).
Le point B est situé à 45° de latitude Sud (45° S).

Les **parallèles** sont des cercles imaginaires qui entourent la Terre. L'**équateur** est un parallèle placé à égale distance du pôle Nord et du pôle Sud. Il sépare la Terre en deux hémisphères.

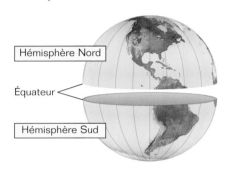

Quand on situe un lieu par rapport à l'équateur, on précise sa **latitude**. Elle est exprimée en degrés (de 0° à 90°). La latitude à l'équateur a une valeur de 0°.

Les méridiens et la longitude

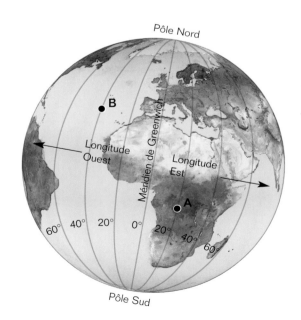

Le point A est situé à 20° de longitude Est (20° E).
Le point B est situé à 40° de longitude Ouest (40° O).

Les **méridiens** sont des demi-cercles imaginaires qui vont d'un pôle à l'autre. Le méridien de Greenwich (ou méridien d'origine) et le méridien 180° divisent la Terre en deux hémisphères.

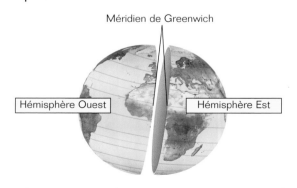

Quand on situe un lieu par rapport au méridien de Greenwich, on précise sa **longitude**. Elle est exprimée en degrés (de 0° à 180°). La longitude au méridien de Greenwich a une valeur de 0°.

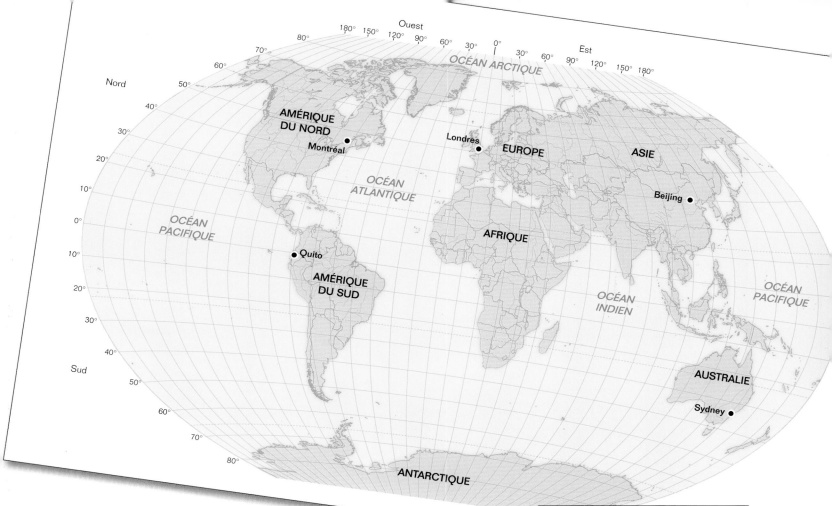

La combinaison des parallèles et des méridiens sert à **localiser** différents éléments géographiques comme les frontières, les villes ou les lacs. Par convention, on mentionne la latitude avant la longitude.

Les coordonnées géographiques approximatives de quelques villes	
Montréal	45° N et 73° O
Sydney	34° S et 152° E
Londres	51° N et 0°
Quito	2° S et 78° O
Beijing	40° N et 117° E

Le savais-tu ?

Une convention internationale divise le monde en 24 **fuseaux horaires** qui correspondent aux 24 heures de la journée. Tous les lieux à l'intérieur d'un même fuseau ont la même heure. Le Canada compte six fuseaux horaires. Quand il est 13 h 00 à Montréal, il est 10 h 00 à Vancouver et il est 19 h 00 à Paris.

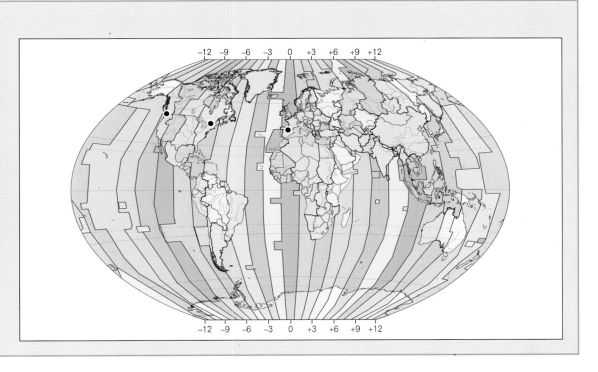

Les cartes : l'échelle et la rose des vents

Comment mesurer la distance à l'aide de l'échelle

L'échelle de la carte permet de calculer la distance entre deux points sur la carte.

① Sur la carte, dépose une feuille de papier, de manière à joindre deux points, A et B. Marque leur position sur le bord de la feuille.

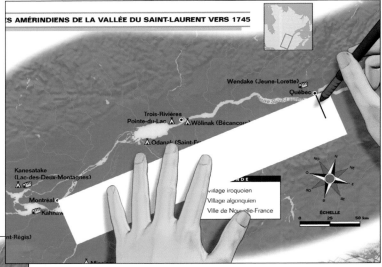

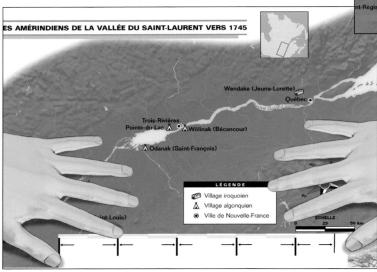

② Place la feuille sous l'échelle de la carte. Vérifie que le point A correspond au début de l'échelle. Si le point B dépasse les limites de l'échelle, marque, sur le bord de la feuille, l'endroit où l'échelle se termine.

③ Au début de l'échelle, place la marque que tu as faite. Au besoin, répète l'opération jusqu'à ce que tu atteignes le point B. À chaque étape, additionne toutes les distances mesurées entre les points A et B pour obtenir la distance totale.

Le savais-tu ?

▼ La carte à petite échelle représente une grande portion de la surface terrestre avec peu de détails.

▼ La carte à grande échelle représente une petite portion de la surface terrestre avec beaucoup de détails.

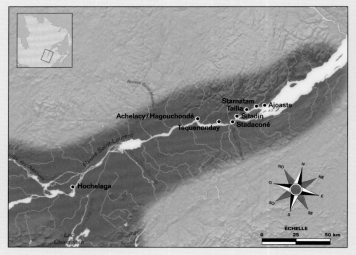

Comment découvrir la direction d'un lieu à l'aide de la rose des vents

La rose des vents indique les quatre directions fondamentales, appelées les *points cardinaux* : le nord, le sud, l'est et l'ouest. Elle indique aussi les quatre directions intermédiaires, appelées les **points cardinaux intermédiaires** : le nord-est, le sud-est, le sud-ouest et le nord-ouest.

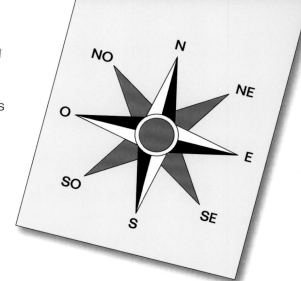

Voici les étapes à suivre pour connaître la situation d'un point A (Montréal) par rapport à un point B (Québec) sur une carte.

① Sur un transparent, trace un carré de 3 cm de côté. À l'intérieur du carré, trace une rose des vents semblable à celle que tu vois sur la carte.

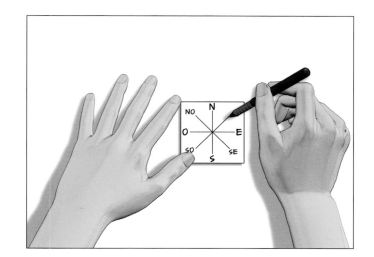

② Place le centre de la rose des vents que tu as tracée sur le point B. Fais pivoter ta rose des vents de manière que le nord corresponde au nord de la carte.

③ Localise le point A sur la carte. Imagine la ligne que tu pourrais tracer entre le point A et le point B.

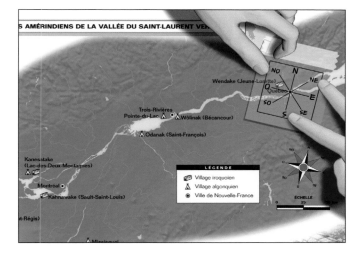

④ Repère l'aiguille du point cardinal ou du point cardinal intermédiaire sur laquelle passerait cette ligne imaginaire. C'est elle qui indique la situation du point A par rapport au point B.

Dans notre exemple, le point A (Montréal) est situé approximativement au sud-ouest du point B (Québec).

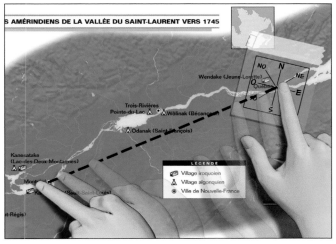

Le 16ᵉ siècle en bref

Au 16ᵉ siècle, les Iroquoiens occupent une partie du Québec d'aujourd'hui. Les Algonquiens et les Incas vivent sur des territoires différents. Ils ont chacun leur mode de vie. Les Européens, de leur côté, entreprennent de grandes explorations.

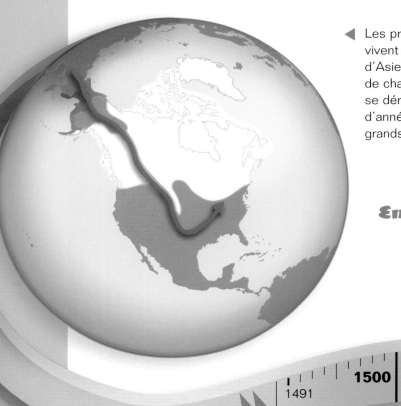

◀ Les premières personnes qui vivent en Amérique viennent d'Asie. Ce sont des groupes de chasseurs. Leur arrivée se déroule sur des milliers d'années à l'époque des grands glaciers.

En Europe...

Au 15ᵉ et au 16ᵉ siècle, les pays d'Europe connaissent une période de grandes transformations. Les rois se font construire des châteaux somptueux. C'est la **Renaissance**.

1531

| 1491 | **1500** | **1501** 16ᵉ siècle | 1511 | 1521 |

Les Incas règnent sur une partie de l'Amérique du Sud depuis l'an 1200.

Voir p. 30 à 35 ▶

Depuis des milliers d'années, des centaines de peuples amérindiens vivent en Amérique du Nord.

Voir p. 18 à 21 ▶

En Amérique...

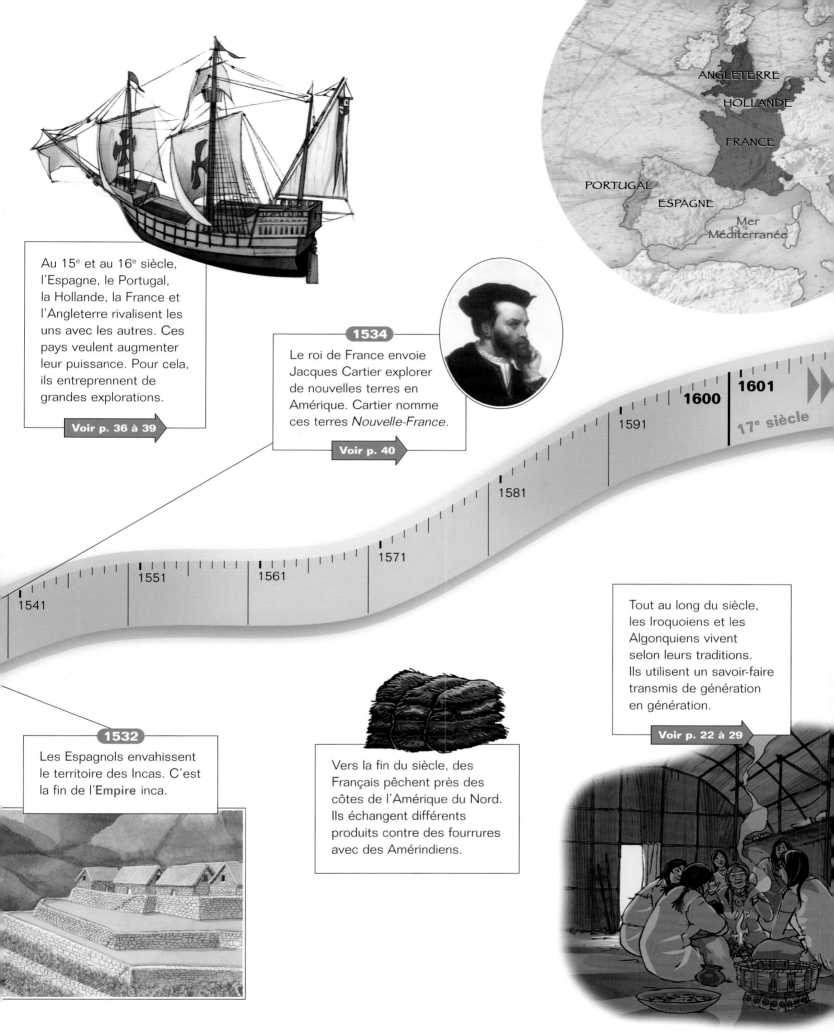

ANGLETERRE

HOLLANDE

FRANCE

PORTUGAL

ESPAGNE

Mer
Méditerranée

Au 15ᵉ et au 16ᵉ siècle, l'Espagne, le Portugal, la Hollande, la France et l'Angleterre rivalisent les uns avec les autres. Ces pays veulent augmenter leur puissance. Pour cela, ils entreprennent de grandes explorations.

Voir p. 36 à 39

1534

Le roi de France envoie Jacques Cartier explorer de nouvelles terres en Amérique. Cartier nomme ces terres *Nouvelle-France*.

Voir p. 40

1601

1600

1591

17ᵉ siècle

1581

1571

1561

1551

1541

Tout au long du siècle, les Iroquoiens et les Algonquiens vivent selon leurs traditions. Ils utilisent un savoir-faire transmis de génération en génération.

Voir p. 22 à 29

1532

Les Espagnols envahissent le territoire des Incas. C'est la fin de l'**Empire** inca.

Vers la fin du siècle, des Français pêchent près des côtes de l'Amérique du Nord. Ils échangent différents produits contre des fourrures avec des Amérindiens.

Qui vit en Amérique du Nord au début du 16e siècle ?

Au début du 16e siècle, des peuples vivent en Amérique du Nord depuis des milliers d'années. Chaque peuple fait partie d'une famille qui parle des langues semblables. C'est ce qu'on appelle les **familles linguistiques**.

LES FAMILLES LINGUISTIQUES ET LES PEUPLES DE L'AMÉRIQUE DU NORD

As-tu remarqué ?

Il y a plus de familles linguistiques dans l'ouest du continent que dans l'est. Certains **linguistes** pensent que cela est dû au relief très accidenté dans l'ouest. Les montagnes et les hauts plateaux isolent les groupes les uns des autres. Ainsi, ils en arrivent à employer des langues et des **dialectes** différents.

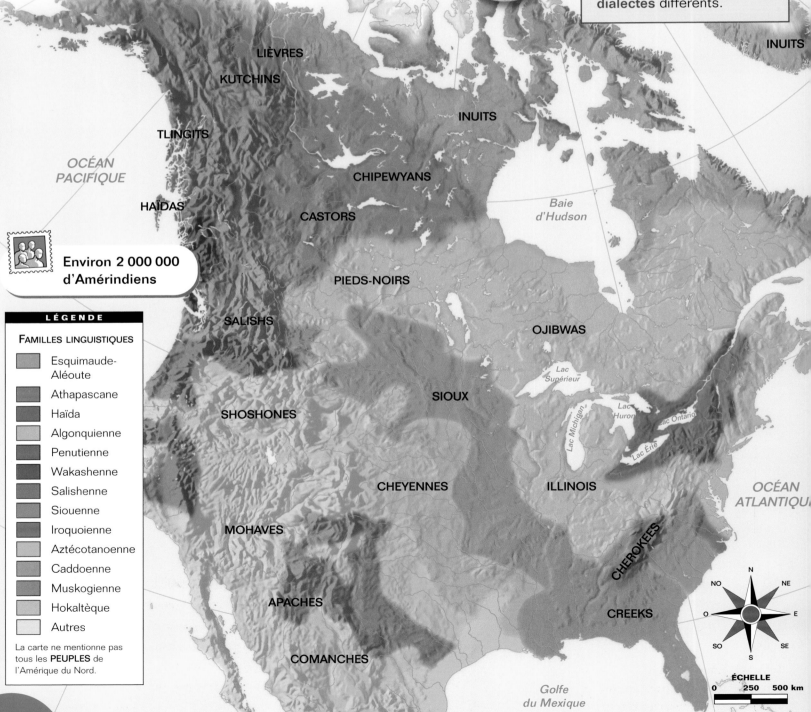

LIÈVRES

KUTCHINS

INUITS

TLINGITS

OCÉAN PACIFIQUE

CHIPEWYANS

HAÏDAS

CASTORS

Baie d'Hudson

INUITS

Environ 2 000 000 d'Amérindiens

PIEDS-NOIRS

SALISHS

OJIBWAS

Lac Supérieur

SIOUX

SHOSHONES

Lac Michigan

Lac Huron

Lac Ontario

Lac Érié

CHEYENNES

ILLINOIS

OCÉAN ATLANTIQUE

MOHAVES

APACHES

CHEROKEES

CREEKS

COMANCHES

Golfe du Mexique

TEPEHUA

LÉGENDE

FAMILLES LINGUISTIQUES

- Esquimaude-Aléoute
- Athapascane
- Haïda
- Algonquienne
- Penutienne
- Wakashenne
- Salishenne
- Siouenne
- Iroquoienne
- Aztécotanoenne
- Caddoenne
- Muskogienne
- Hokaltèque
- Autres

La carte ne mentionne pas tous les **PEUPLES** de l'Amérique du Nord.

ÉCHELLE

0   250   500 km

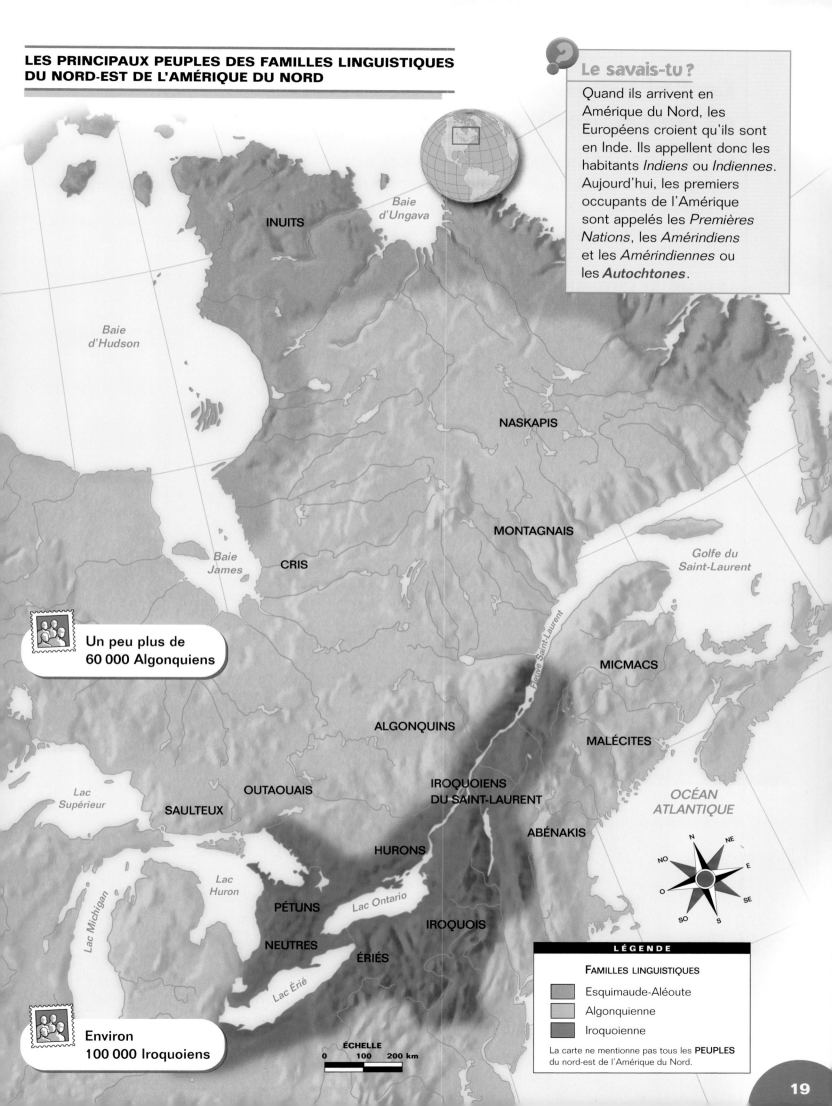

LES PRINCIPAUX PEUPLES DES FAMILLES LINGUISTIQUES DU NORD-EST DE L'AMÉRIQUE DU NORD

Le savais-tu ?

Quand ils arrivent en Amérique du Nord, les Européens croient qu'ils sont en Inde. Ils appellent donc les habitants *Indiens* ou *Indiennes*. Aujourd'hui, les premiers occupants de l'Amérique sont appelés les *Premières Nations*, les *Amérindiens* et les *Amérindiennes* ou les *Autochtones*.

INUITS

Baie d'Ungava

Baie d'Hudson

NASKAPIS

MONTAGNAIS

Baie James

CRIS

Golfe du Saint-Laurent

Un peu plus de 60 000 Algonquiens

MICMACS

Fleuve Saint-Laurent

ALGONQUINS

MALÉCITES

Lac Supérieur

OUTAOUAIS

IROQUOIENS DU SAINT-LAURENT

OCÉAN ATLANTIQUE

SAULTEUX

ABÉNAKIS

HURONS

N
NE
NO
E
O
SE
SO
S

Lac Huron

PÉTUNS

Lac Ontario

IROQUOIS

Lac Michigan

NEUTRES

ÉRIÉS

Lac Érié

LÉGENDE

FAMILLES LINGUISTIQUES

◼ Esquimaude-Aléoute

◻ Algonquienne

◼ Iroquoienne

La carte ne mentionne pas tous les **PEUPLES** du nord-est de l'Amérique du Nord.

Environ 100 000 Iroquoiens

ÉCHELLE
0   100   200 km

19

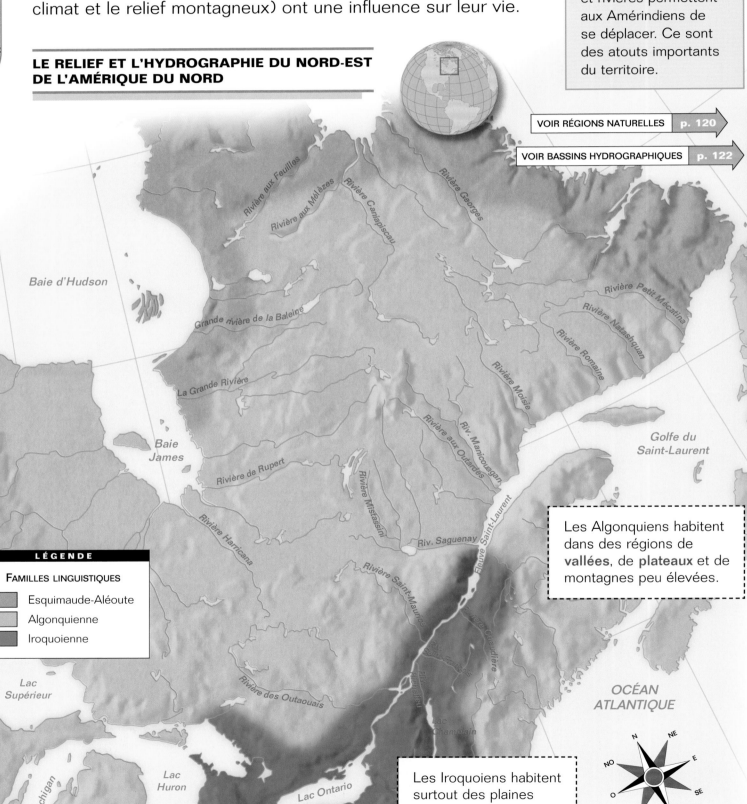

Le territoire des Iroquoiens et des Algonquiens

Les Iroquoiens et les Algonquiens occupent de très grands espaces. Les **atouts** de leur territoire (par exemple les sols fertiles et les cours d'eau) et ses **contraintes** (comme le climat et le relief montagneux) ont une influence sur leur vie.

? **Le savais-tu ?**

Le fleuve Saint-Laurent et les nombreux lacs et rivières permettent aux Amérindiens de se déplacer. Ce sont des atouts importants du territoire.

LE RELIEF ET L'HYDROGRAPHIE DU NORD-EST DE L'AMÉRIQUE DU NORD

VOIR RÉGIONS NATURELLES p. 120

VOIR BASSINS HYDROGRAPHIQUES p. 122

Rivière aux Feuilles

Rivière aux Mélèzes

Rivière Caniapiscau

Rivière Georges

Baie d'Hudson

Rivière Petit Mécatina

Rivière Natashquan

Grande rivière de la Baleine

Rivière Romaine

Rivière Moisie

La Grande Rivière

Riv. Manicouagan

Baie James

Rivière aux Outardes

Golfe du Saint-Laurent

Rivière de Rupert

Rivière Mistassini

Rivière Harricana

Riv. Saguenay

Fleuve Saint-Laurent

Les Algonquiens habitent dans des régions de **vallées**, de **plateaux** et de montagnes peu élevées.

LÉGENDE

FAMILLES LINGUISTIQUES

- Esquimaude-Aléoute
- Algonquienne
- Iroquoienne

Rivière Saint-Mauric[e]

Rivière Chaudière

Lac Supérieur

Rivière des Outaouais

OCÉAN ATLANTIQUE

Lac Champlain

Lac Michigan

Lac Huron

Lac Ontario

Les Iroquoiens habitent surtout des plaines en bordure du fleuve Saint-Laurent et des Grands Lacs.

N NE
NO
O E
NO SE
SO S

ÉCHELLE
0   100   200 km

Lac Érié

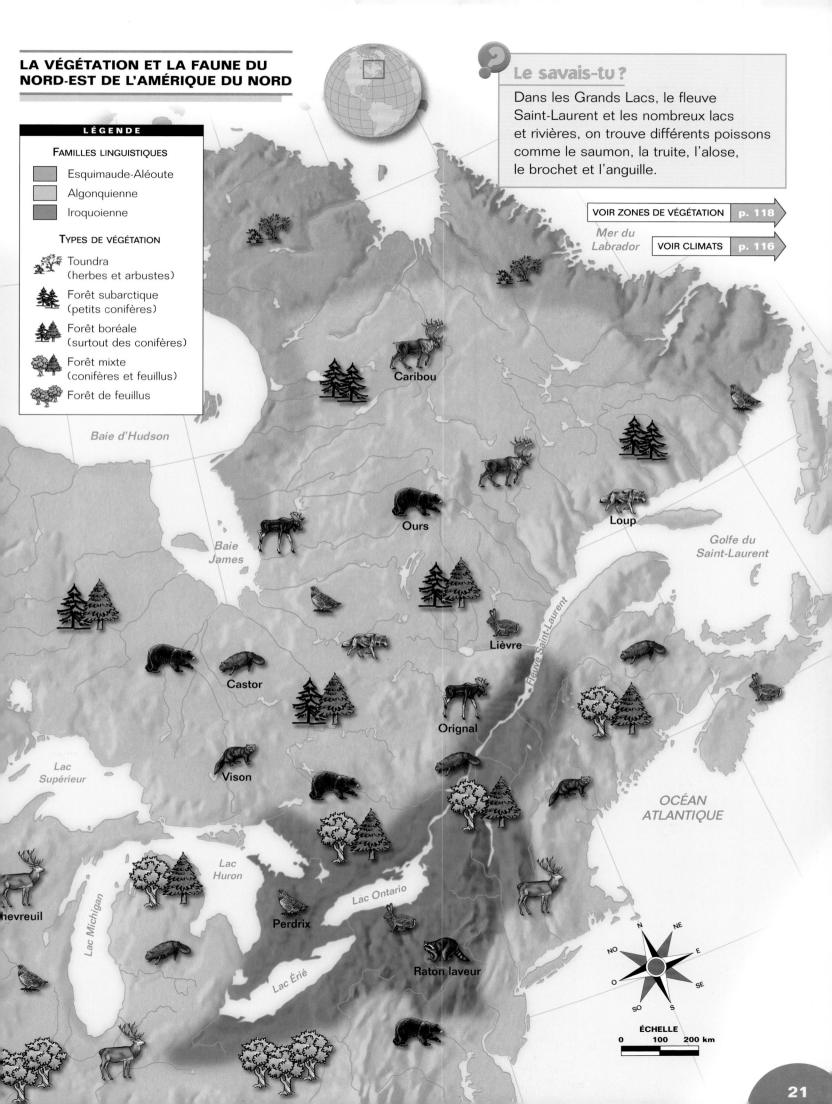

LA VÉGÉTATION ET LA FAUNE DU NORD-EST DE L'AMÉRIQUE DU NORD

LÉGENDE

FAMILLES LINGUISTIQUES

- Esquimaude-Aléoute
- Algonquienne
- Iroquoienne

TYPES DE VÉGÉTATION

- Toundra (herbes et arbustes)
- Forêt subarctique (petits conifères)
- Forêt boréale (surtout des conifères)
- Forêt mixte (conifères et feuillus)
- Forêt de feuillus

VOIR ZONES DE VÉGÉTATION p. 118

VOIR CLIMATS p. 116

Le savais-tu ?

Dans les Grands Lacs, le fleuve Saint-Laurent et les nombreux lacs et rivières, on trouve différents poissons comme le saumon, la truite, l'alose, le brochet et l'anguille.

Mer du Labrador

Caribou

Ours

Loup

Golfe du Saint-Laurent

Baie d'Hudson

Baie James

Lièvre

Fleuve Saint-Laurent

Castor

Orignal

OCÉAN ATLANTIQUE

Vison

Lac Supérieur

Lac Huron

Lac Michigan

Lac Ontario

Perdrix

Chevreuil

Lac Érié

Raton laveur

N NE
NO E
O SE
SO S

ÉCHELLE
0   100   200 km

Les Iroquoiens : des agriculteurs

Dans les régions où habitent les Iroquoiens, le sol est fertile
et la forêt abrite de nombreux animaux. En été, le climat est chaud
et humide. Ce sont des **atouts** du territoire qui ont une influence
sur la vie des Iroquoiens.

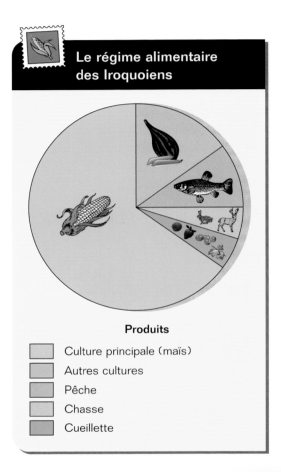

Le régime alimentaire des Iroquoiens

Produits

- Culture principale (maïs)
- Autres cultures
- Pêche
- Chasse
- Cueillette

Les principales activités des Iroquoiens

- Agriculture
- Chasse
- Pêche
- Cueillette

Les Iroquoiens vivent dans des maisons longues.
Une maison longue mesure environ 25 mètres
de long et 10 mètres de large. De 6 à 10 familles
iroquoiennes (c'est-à-dire de 25 à 60 personnes)
peuvent y vivre.

Les Iroquoiens cultivent
la terre. Ils habitent donc
un seul lieu. On dit qu'ils
sont **sédentaires**.

Le maïs, les haricots et
les courges, appelés les
trois sœurs, sont des
plantes cultivées ensemble.

LES PRINCIPAUX VILLAGES DES IROQUOIENS DU SAINT-LAURENT AU DÉBUT DU 16ᵉ SIÈCLE

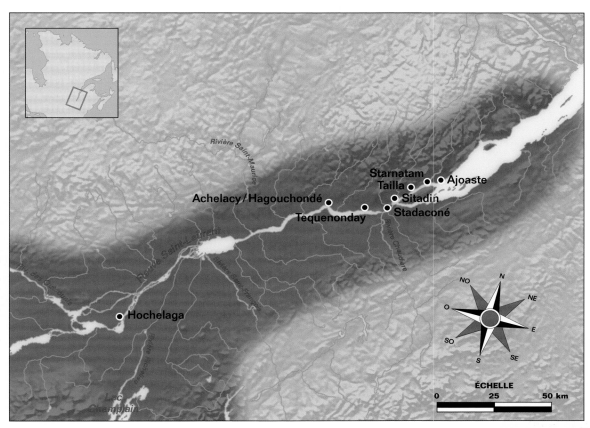

◄ De 1500 à 5000 personnes habitent les villages iroquoiens de la vallée du Saint-Laurent. Après 10 à 15 ans, les terres cultivées finissent par s'épuiser. Les villages sont alors déplacés sur d'autres sites. Ces sites sont légèrement élevés et situés près d'un cours d'eau et d'une forêt.

LÉGENDE

Territoire de la famille linguistique iroquoienne

⦿ Village

Les Algonquiens : des chasseurs et des pêcheurs

Sur l'immense territoire des Algonquiens, il y a une forêt dense, beaucoup de gibier et de nombreux cours d'eau. Les Algonquiens doivent s'adapter au climat rude de l'hiver. Au fil des saisons, ils déplacent leur campement pour mieux profiter des **atouts** de leur territoire.

▼ été

En été, les Algonquiens se regroupent en bandes. Il est rare qu'ils chassent sur les lieux de leur campement. Cependant, ils pêchent dans les environs.

Les principales activités des Algonquiens

- Chasse
- Pêche
- Cueillette

Le régime alimentaire des Algonquiens

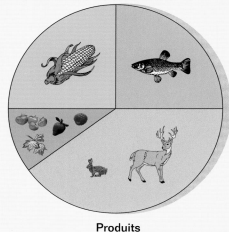

Produits

- Cultures et troc
- Pêche
- Chasse
- Cueillette

◄ Automne

À l'automne, les Algonquiens se déplacent vers un bon territoire de chasse pour y installer leur campement d'hiver.

▼ Hiver

En hiver, les Algonquiens pêchent sous la glace. Ils chassent et tendent des pièges aux petits animaux.

Les Algonquiens vivent dans des wigwams. Un wigwam abrite une famille algonquienne d'environ 10 personnes. Le wigwam est simple à dresser et facile à transporter.

Puisque les Algonquiens déplacent leur campement plusieurs fois dans l'année, on dit qu'ils sont **nomades**.

◄ Printemps

Au printemps, les Algonquiens se déplacent de nouveau pour retourner à leur campement d'été.

 p. 22 VOIR IROQUOIENS

Les matériaux et les techniques chez les Amérindiens

Les Algonquiens et les Iroquoiens utilisent tout ce qu'ils cultivent, récoltent, chassent ou pêchent. Pour répondre à leurs besoins, les Amérindiens fabriquent aussi des objets à partir des ressources qui proviennent de leur territoire et quelquefois d'ailleurs.

Construire un canot ▶

Les Algonquiens et les Hurons recouvrent leurs canots d'écorce de bouleau. Cet arbre est moins abondant sur le territoire des Iroquoiens. Ceux-ci utilisent donc d'autres écorces, ce qui rend leurs canots plus lourds et moins résistants.

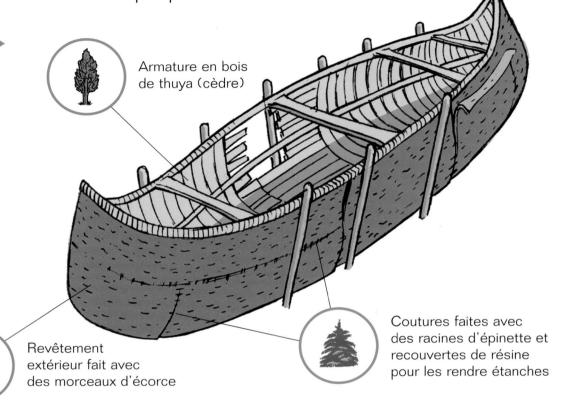

Armature en bois de thuya (cèdre)

Coutures faites avec des racines d'épinette et recouvertes de résine pour les rendre étanches

Revêtement extérieur fait avec des morceaux d'écorce

Fabriquer des vêtements ▶

On cousait les différentes parties des vêtements avec des boyaux d'animaux séchés, des nerfs d'orignal ou de fines languettes taillées dans une peau tannée très mince.

Petites perles, pierres colorées, coquillages et plumes pour décorer les vêtements

◀ **Vêtement algonquien**

Peaux ou fourrures pour fabriquer des vêtements

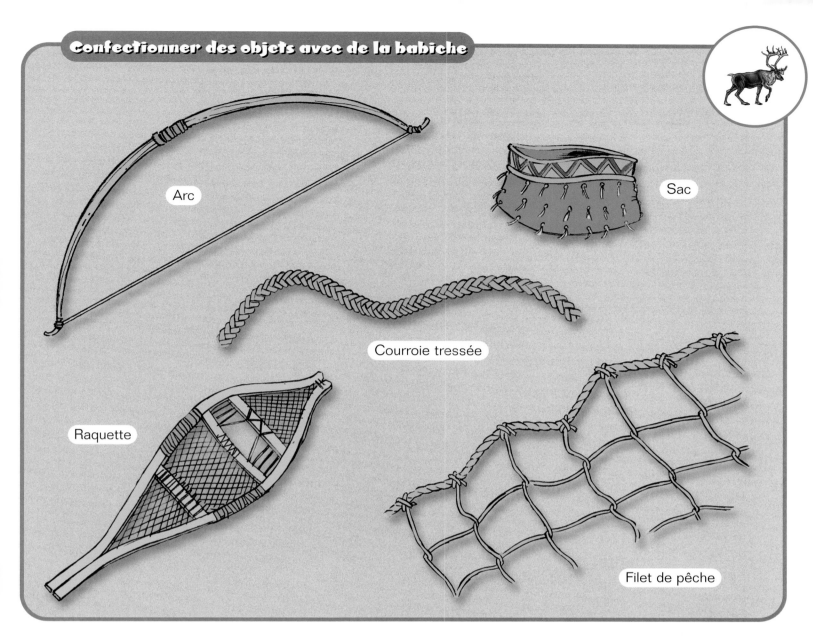

Arc

Sac

Courroie tressée

Raquette

Filet de pêche

▲ La babiche provient de la peau d'un animal (orignal, chevreuil, caribou) qu'on fait tremper pour en retirer les poils. Une fois les poils retirés, la peau est étirée et découpée en longues lanières que l'on fait sécher. Les Amérindiens font tremper ces lanières avant de les utiliser pour fabriquer divers objets.

▲

Fabriquer des vases en terre cuite

En raison de leur mode de vie sédentaire, les Iroquoiens fabriquent de lourds vases de terre cuite pour conserver leurs provisions. Ils ont aussi le temps de confectionner des œuvres artistiques, comme des masques et des vêtements.

Le troc : des échanges entre Iroquoiens et Algonquiens

Les Amérindiens échangent leurs produits : ils font du **troc**. Ils cherchent à obtenir les produits qu'ils ne cultivent pas, ne fabriquent pas ou ne trouvent pas dans leur environnement.

Les Iroquoiens échangent le maïs et le tabac qu'ils cultivent, ainsi que les hameçons et le fil de pêche qu'ils fabriquent.

⟺

Les Algonquiens échangent les produits de leur chasse : la viande, les fourrures, les peaux et les **andouillers**.

La vie en société chez les Iroquoiens et les Algonquiens

Les Iroquoiens et les Algonquiens n'organisent pas leur vie de la même manière. Par exemple, chaque société a sa propre façon de nommer ses chefs et de partager les tâches entre les hommes et les femmes.

Chez les Iroquoiens...

Ce sont les femmes les plus âgées ▶ qui nomment les chefs, organisent les mariages et prennent les décisions importantes. On dit que la société iroquoienne est **matriarcale**. Toutes les femmes d'une maison longue ont une ancêtre maternelle commune (grand-mère ou arrière-grand-mère).

▼ **L'organisation de la société iroquoienne**

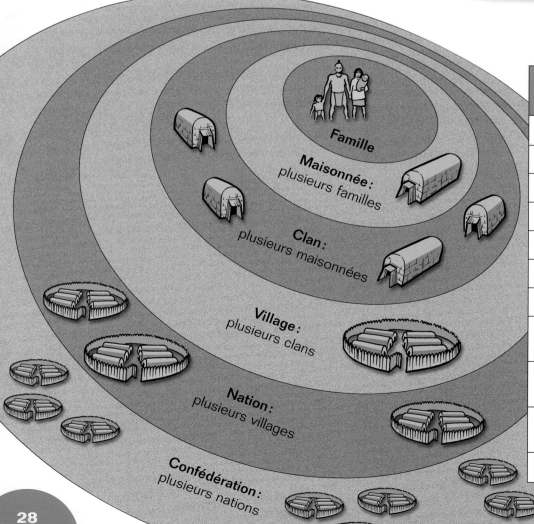

Famille

Maisonnée: plusieurs familles

Clan: plusieurs maisonnées

Village: plusieurs clans

Nation: plusieurs villages

Confédération: plusieurs nations

Le partage des tâches chez les Iroquoiens	🧑‍🦰	🧍
Préparation des sols		x
Déboisement		x
Culture des champs	x	
Pêche	x	x
Chasse	x	x
Ramassage du bois	x	
Cueillette	x	
Confection de vêtements, de paniers, de vases	x	
Construction des maisons et des palissades		x
Confection d'armes et d'outils		x
Participation aux guerres		x

Chez les Algonquiens...

Le chef de chaque bande est choisi ▶
pour son courage, ses qualités
de chasseur et sa force
de caractère.

As-tu remarqué ?

Cette illustration nous renseigne
sur les activités des femmes et
des hommes algonquiens, leurs
vêtements, leurs habitations et le
milieu naturel dans lequel ils vivent.

▼ **L'organisation de la société
algonquienne**

Famille

Clan ou bande :
plusieurs familles

Le savais-tu ?

Les chefs amérindiens n'utilisent pas
la force physique pour imposer leurs
décisions. Habituellement, les chefs
s'expliquent avec sagesse et trouvent
les bons mots pour convaincre les
autres. Aucun signe extérieur ne
montre la supériorité des chefs.
On les reconnaît seulement à leurs
valeurs et au respect qu'ils imposent.

Le territoire des Incas

Les Incas vivent dans un vaste **empire** de l'Amérique du Sud. Celui-ci est divisé en plusieurs grandes régions naturelles. Le relief, le climat et les richesses du territoire sont des **contraintes** et des **atouts** importants pour le mode de vie des Incas.

La côte du Pacifique

Dans la région naturelle de la côte du Pacifique, les températures restent plutôt fraîches et les pluies sont très rares. Le climat est désertique. Des rivières traversent cette région et se jettent dans l'océan. Les terres de cette région sont impropres à l'agriculture. Par contre, la pêche en mer est abondante.

La cordillère des Andes

Dans la région naturelle des Andes, les sommets atteignent des **altitudes** très élevées. Dans ces hautes montagnes, les terres sont glacées, impropres à l'agriculture et inhabitées. Certaines de ces montagnes sont en fait d'importants volcans.

QUIMBAYA

YANOMAMI

MAKU

Fleuve Amaz

NAMBICUARA

CAMPA

BOR

Cordillère des Andes

● Cuzco

MATA

OCÉAN
PACIFIQUE

Environ
8 000 000 d'Incas

PUELCHE

ARAUCAN

TEHUELCHE

LÉGENDE

Empire inca

La carte ne mentionne pas tous les PEUPLES de l'Amérique du Sud.

ALAKALUF

LE TERRITOIRE DES INCAS ET LES PRINCIPAUX PEUPLES DE L'AMÉRIQUE DU SUD

AWAK

MARAJOARA

CAYAPA

TUPINAMBA

BOTOCUDO

GUARANI

KAINGANG

OCÉAN
ATLANTIQUE

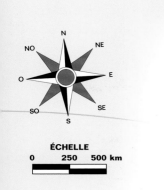

N
NO   NE
O   E
SO   SE
S

ÉCHELLE
0   250   500 km

p. 20-21 TERRITOIRE DES IROQUOIENS

La cordillère des Andes

Il y a beaucoup de hauts **plateaux** et de profondes **vallées** au centre de la région naturelle de la cordillère des Andes. Les nuits sont fraîches et les journées sont chaudes pendant toute l'année. Le sol des vallées est fertile. La majorité de la population inca vit dans cette région. Elle y pratique l'agriculture et l'élevage.

Les terres de l'Amazonie

Dans la région naturelle des terres amazoniennes, les températures sont très chaudes et les pluies sont fortes. Les forêts abritent un très grand nombre d'animaux comme des perroquets, des singes et des serpents. Très peu d'Incas vivent dans cette région.

Coupe schématique du relief d'ouest en est dans la région de Cuzco

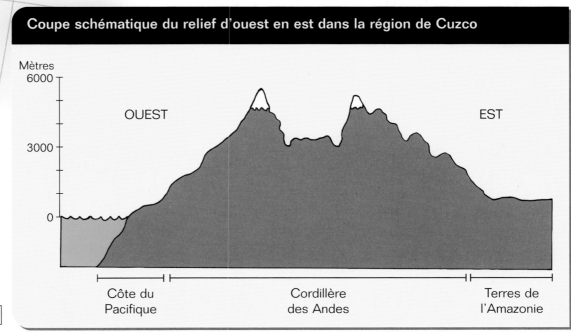

Mètres
6000

OUEST   EST

3000

0

Côte du
Pacifique

Cordillère
des Andes

Terres de
l'Amazonie

Les Incas : des agriculteurs, des éleveurs et des artisans

La majorité des Incas vivent sur un territoire montagneux. On y trouve des métaux précieux. Le sol des **vallées** est fertile et, toute l'année, la température est chaude le jour. Les Incas ont su profiter de ces **atouts** du territoire.

Le régime alimentaire des Incas

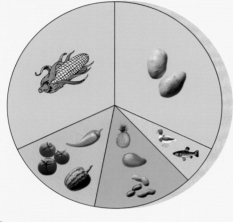

Produits

- Cultures principales
- Chasse et pêche
- Cueillette
- Autres cultures

Le savais-tu ?

Les Incas connaissent l'or, l'argent, l'**étain** et le **plomb**. Ils savent travailler ces métaux de façon remarquable.

Animal en or

Parures d'oreilles

La population inca est surtout **sédentaire**. Des familles qui ont un lien de parenté vivent ensemble. Elles partagent la terre, les animaux et différentes tâches.

La culture en terrasses

Terre fertile en surface qui provient des vallées

Sol enrichi par le *guano* (excréments d'oiseaux) et par le *taqui* (fumier des lamas et des alpagas)

Mur de pierre

Gravier et terre au fond de la terrasse pour favoriser un bon drainage

Le lama ou l'alpaga transporte des charges.

Les excréments des bêtes servent à faire du feu et à enrichir les terres.

La laine des lamas et des alpagas sert à fabriquer des couvertures et des vêtements.

Les principales activités des Incas

- Agriculture
- Élevage
- Chasse et pêche
- Artisanat

p. 22 VOIR IROQUOIENS

Les maisons sont construites en pierre ou en adobe (une sorte de brique). Elles ont une fenêtre et une porte fermée par une peau tendue ou un rideau de tissu. Leur toit est couvert de **chaume**.

Les aqueducs

Les Incas utilisent des aqueducs pour **irriguer** les terres et distribuer l'eau courante à la population.

La vie en société chez les Incas

Au 16ᵉ siècle, la civilisation inca est l'une des plus évoluées au monde. Les Incas ont trouvé des solutions aux problèmes liés aux **contraintes** de leur territoire. La vie dans la société inca est bien organisée.

Les traces du passé

Depuis environ un siècle, les fouilles des **archéologues** ont permis de mieux comprendre le fonctionnement de la société inca.

Machu Picchu

DANS CE ROYAUME, AUCUN OISEAU NE VOLE, AUCUNE FEUILLE NE BOUGE, SI TELLE N'EST PAS MA VOLONTÉ.

◁ L'Inca

Tous les pouvoirs appartiennent à l'Inca. On le considère comme le fils du Soleil. Il dirige son peuple à partir de la capitale Cuzco, dont le nom signifie *nombril du monde*.

p. 28 VOIR IROQUOIENS

▽ L'organisation sociale des Incas

L'Inca et son épouse principale, la coya.

Les grands prêtres, les commandants en chef de l'armée et les quatre gouverneurs.

Les prêtres, les généraux de l'armée, les administrateurs locaux, les ingénieurs et les architectes.

Les fonctionnaires, les capitaines de l'armée, les comptables et les artisans.

Le peuple : des ouvriers, des bergers, des agriculteurs, des pêcheurs et des soldats.

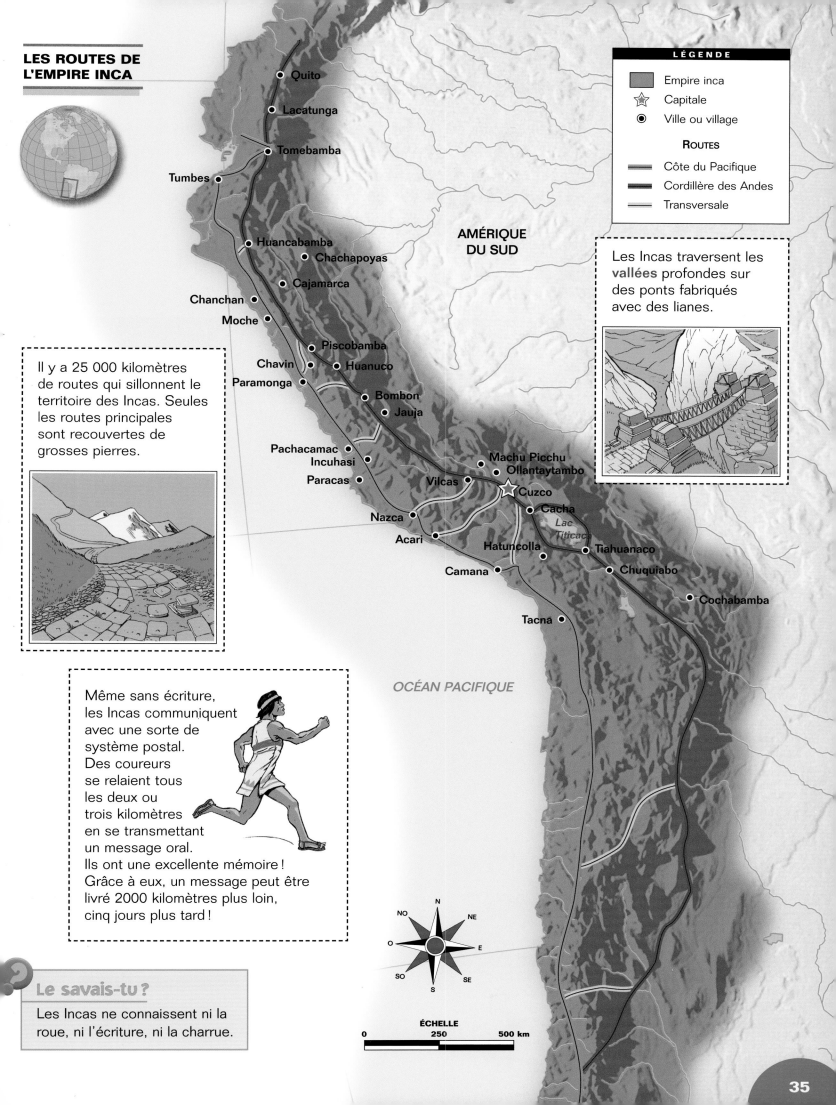

LES ROUTES DE L'EMPIRE INCA

LÉGENDE

Empire inca
☆ Capitale
⊙ Ville ou village

ROUTES
Côte du Pacifique
Cordillère des Andes
Transversale

AMÉRIQUE DU SUD

Les Incas traversent les **vallées** profondes sur des ponts fabriqués avec des lianes.

Il y a 25 000 kilomètres de routes qui sillonnent le territoire des Incas. Seules les routes principales sont recouvertes de grosses pierres.

Quito
Lacatunga
Tomebamba
Tumbes
Huancabamba
Chachapoyas
Cajamarca
Chanchan
Moche
Piscobamba
Chavin
Huanuco
Paramonga
Bombon
Jauja
Pachacamac
Incuhasi
Paracas
Machu Picchu
Ollantaytambo
Vilcas
Cuzco
Cacha
Nazca
Lac Titicaca
Acari
Hatuncolla
Tiahuanaco
Camana
Chuquiabo
Cochabamba
Tacna

OCÉAN PACIFIQUE

Même sans écriture, les Incas communiquent avec une sorte de système postal. Des coureurs se relaient tous les deux ou trois kilomètres en se transmettant un message oral. Ils ont une excellente mémoire ! Grâce à eux, un message peut être livré 2000 kilomètres plus loin, cinq jours plus tard !

N
NO   NE
O   E
SO   SE
S

Le savais-tu ?

Les Incas ne connaissent ni la roue, ni l'écriture, ni la charrue.

ÉCHELLE
0   250   500 km

Le monde au début du 16e siècle

Au début du 16e siècle, les grandes puissances rivales d'Europe sont la France, l'Espagne, le Portugal, la Hollande et l'Angleterre. L'Asie, de son côté, est très développée. Ses produits, comme les épices et la soie, sont très recherchés en Europe. Quant aux territoires des Amériques, ils sont habités par des centaines de peuples autochtones. La plupart des Européens ignorent l'existence des Amériques au début du 16e siècle.

L'EUROPE ET LE MONDE AU DÉBUT DU 16e SIÈCLE

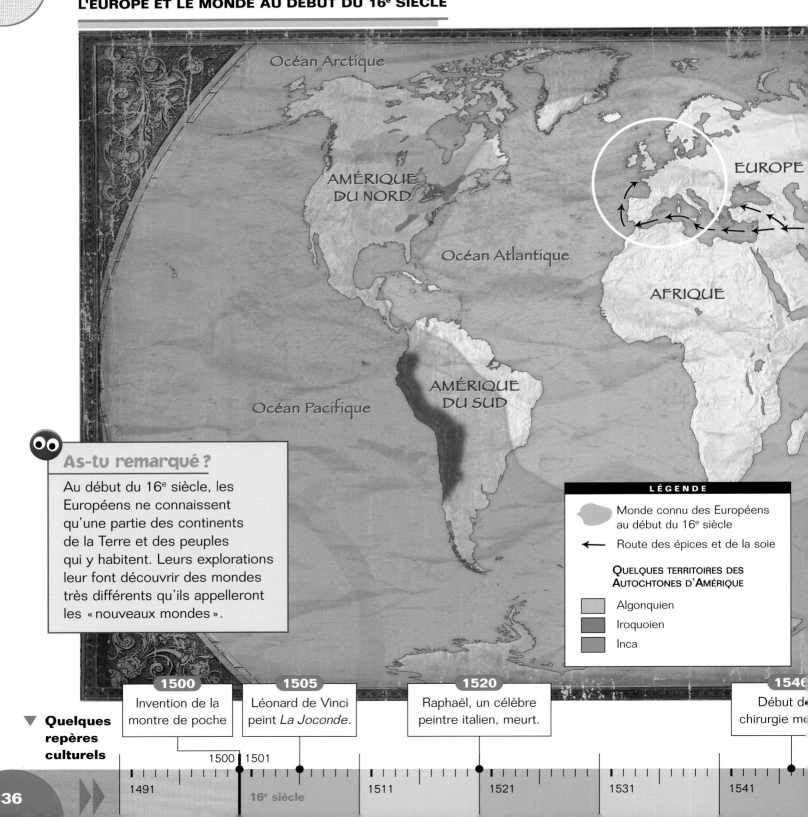

Océan Arctique

AMÉRIQUE DU NORD

Océan Atlantique

EUROPE

AFRIQUE

AMÉRIQUE DU SUD

Océan Pacifique

As-tu remarqué ?

Au début du 16e siècle, les Européens ne connaissent qu'une partie des continents de la Terre et des peuples qui y habitent. Leurs explorations leur font découvrir des mondes très différents qu'ils appelleront les « nouveaux mondes ».

LÉGENDE

Monde connu des Européens au début du 16e siècle

← Route des épices et de la soie

QUELQUES TERRITOIRES DES AUTOCHTONES D'AMÉRIQUE

Algonquien

Iroquoien

Inca

▼ **Quelques repères culturels**

1500	**1505**	**1520**	**1546**
Invention de la montre de poche	Léonard de Vinci peint *La Joconde*.	Raphaël, un célèbre peintre italien, meurt.	Début d chirurgie m

1500 1501

1491   16e siècle   1511   1521   1531   1541

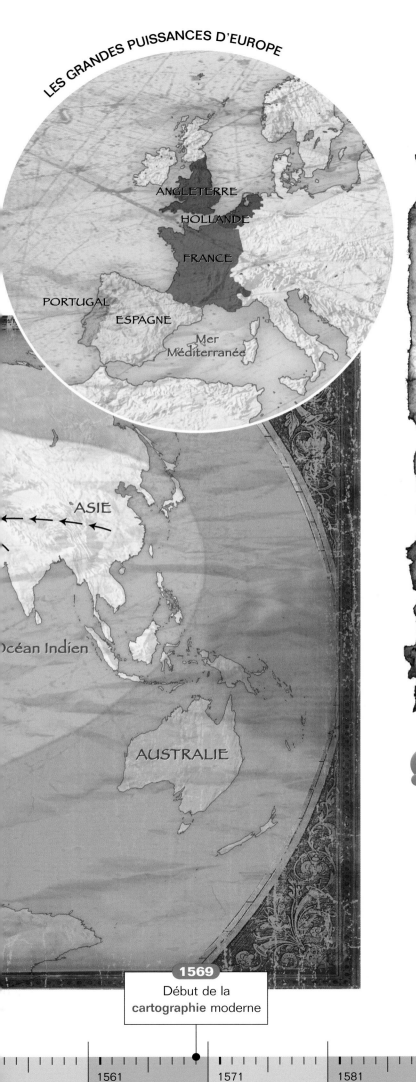

LES GRANDES PUISSANCES D'EUROPE

ANGLETERRE

HOLLANDE

FRANCE

PORTUGAL

ESPAGNE

Mer Méditerranée

ASIE

Océan Indien

AUSTRALIE

1569
Début de la
cartographie moderne

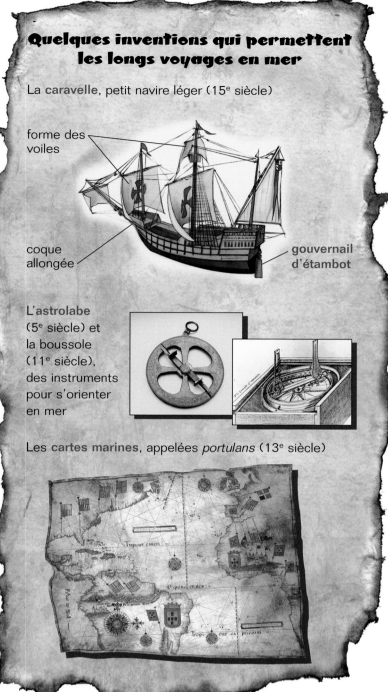

Quelques inventions qui permettent les longs voyages en mer

La **caravelle**, petit navire léger (15e siècle)

forme des voiles

coque allongée

gouvernail d'étambot

L'**astrolabe** (5e siècle) et la **boussole** (11e siècle), des instruments pour s'orienter en mer

Les **cartes marines**, appelées *portulans* (13e siècle)

Le savais-tu ?

Les Européens utilisent des produits d'Asie depuis longtemps. À compter de l'année 1450, il leur est plus difficile d'emprunter les routes traditionnelles pour se procurer des épices et de la soie. Les pays d'Europe rêvent donc de trouver un passage **maritime** vers l'Asie.

CANNELLE

GINGEMBRE

SOIE

MUSCADE

POIVRE

1561   1571   1581   1591   1600 | 1601

17e siècle   37

Les grandes explorations

À la fin du 15ᵉ siècle et au début du 16ᵉ siècle,
les puissances d'Europe entreprennent des expéditions.
Ces voyages d'exploration vont changer le cours de l'histoire.

Le savais-tu ?

Fernand de Magellan et Juan Sebastian El Cano font le premier tour du monde. Leur voyage prouve que la Terre est ronde !

LES ITINÉRAIRES DE QUELQUES GRANDS EXPLORATEURS EUROPÉENS

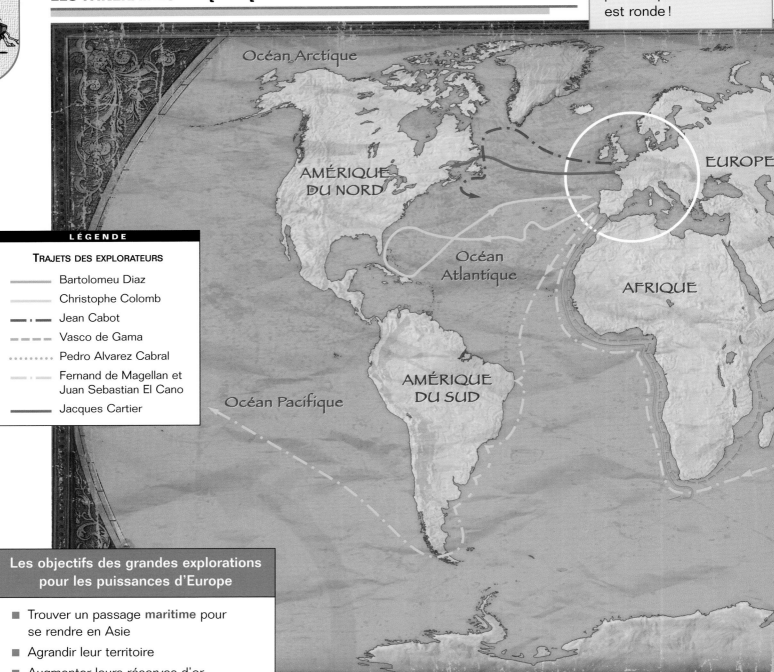

LÉGENDE

TRAJETS DES EXPLORATEURS

— Bartolomeu Diaz
— Christophe Colomb
—·— Jean Cabot
---- Vasco de Gama
········ Pedro Alvarez Cabral
—·— Fernand de Magellan et Juan Sebastian El Cano
— Jacques Cartier

Les objectifs des grandes explorations pour les puissances d'Europe

- Trouver un passage **maritime** pour se rendre en Asie
- Agrandir leur territoire
- Augmenter leurs réserves d'or
- **Convertir au catholicisme** d'autres populations

▼ **Les expéditions et leur durée approximative (aller-retour)**

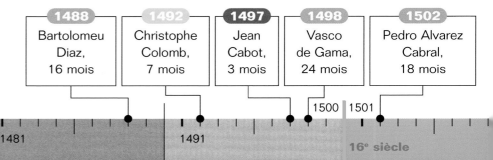

1488	1492	1497	1498	1502
Bartolomeu Diaz, 16 mois	Christophe Colomb, 7 mois	Jean Cabot, 3 mois	Vasco de Gama, 24 mois	Pedro Alvarez Cabral, 18 mois

1500 | 1501

1471   1481   1491

LES GRANDES PUISSANCES D'EUROPE

ANGLETERRE

HOLLANDE

FRANCE

PORTUGAL

ESPAGNE

Mer Méditerranée

ASIE

Océan Indien

AUSTRALIE

Les explorateurs

BARTOLOMEU DIAZ
(vers 1450-1500)

PEDRO ALVAREZ CABRAL
(vers 1460-1526)

CHRISTOPHE COLOMB
(vers 1451-1506)

FERNAND DE MAGELLAN
(vers 1480-1521)

JEAN CABOT
(vers 1450-1499)

JUAN SEBASTIAN EL CANO
(vers 1476-1526)

VASCO DE GAMA
(vers 1469-1524)

JACQUES CARTIER
(1491-1557)

1519
Fernand de Magellan et
Juan Sebastian El Cano,
36 mois

1534
Jacques
Cartier,
4 mois

1521   1531   1541

Les voyages de Jacques Cartier

Entre 1534 et 1542, Jacques Cartier fait trois voyages vers l'Amérique. Ces voyages lui permettent de rencontrer les peuples autochtones, de **localiser** le fleuve Saint-Laurent et de découvrir le relief, le climat, les animaux et les plantes de ses rives. Ces renseignements l'aident à dessiner les premières cartes du territoire qu'il a exploré.

Jacques Cartier
(1491-1557)

LES ITINÉRAIRES DES DEUX PREMIERS VOYAGES DE JACQUES CARTIER

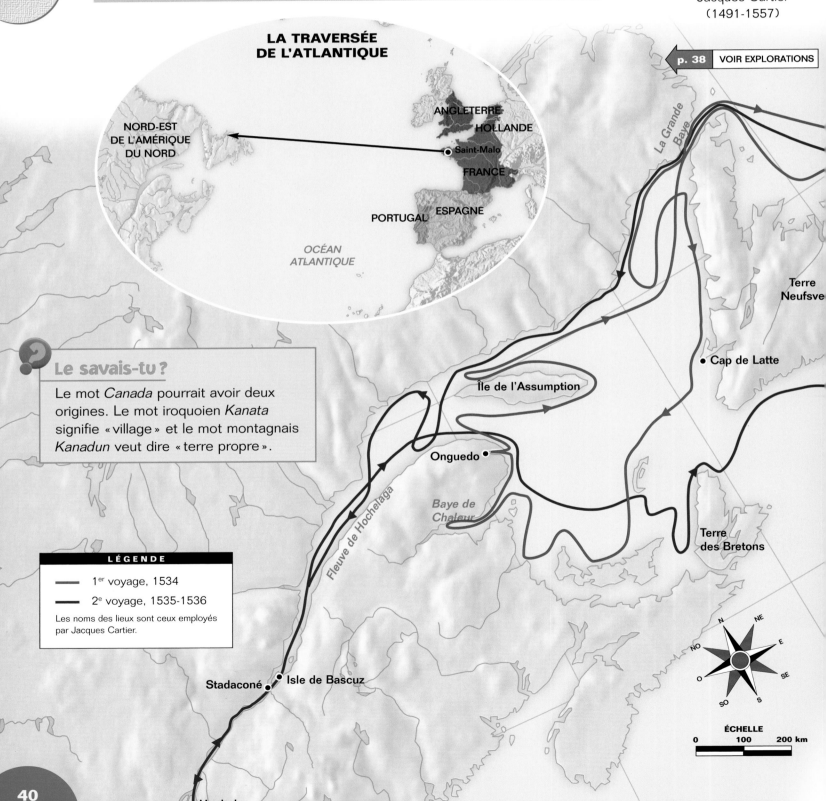

LA TRAVERSÉE DE L'ATLANTIQUE

NORD-EST DE L'AMÉRIQUE DU NORD

ANGLETERRE

HOLLANDE

Saint-Malo

FRANCE

PORTUGAL ESPAGNE

OCÉAN ATLANTIQUE

p. 38 VOIR EXPLORATIONS

La Grande Baye

Terre Neufsve

Cap de Latte

Île de l'Assumption

Le savais-tu ?

Le mot *Canada* pourrait avoir deux origines. Le mot iroquoien *Kanata* signifie « village » et le mot montagnais *Kanadun* veut dire « terre propre ».

Onguedo

Baye de Chaleur

Fleuve de Hochelaga

Terre des Bretons

LÉGENDE

— 1er voyage, 1534

— 2e voyage, 1535-1536

Les noms des lieux sont ceux employés par Jacques Cartier.

Stadaconé • Isle de Bascuz

Hochelaga

N NE E SE S SO O NO

ÉCHELLE
0   100   200 km

40

Le savais-tu ?

Voici un bref aperçu des voyages de Jacques Cartier en Amérique.

1er VOYAGE

Objectifs : trouver de l'or et des richesses ; découvrir un passage vers l'Asie.

Résultats : pas d'or, pas de passage vers l'Asie. Cartier ramène deux Amérindiens en France.

2e VOYAGE

Objectifs : les mêmes qu'au premier voyage ; passer l'hiver dans les nouvelles terres.

Résultats : pas d'or, pas de passage vers l'Asie ; hiver très dur. Cartier améliore sa connaissance du territoire ; il ramène de force des Amérindiens en France.

3e VOYAGE

Objectifs : trouver de l'or et des richesses ; établir une colonie française en Amérique.

Résultats : pas d'or, pas de richesses, pas de passage vers l'Asie ; échec de la tentative d'établissement.

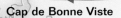

Cap de Bonne Viste

Au retour de son premier ▶ voyage en Amérique, Jacques Cartier ramène les deux fils du chef iroquoien Donnacona en France.

OCÉAN ATLANTIQUE

▼ Au cours de son premier voyage en Amérique, Jacques Cartier plante une croix à Onguedo (Gaspé). Il **prend** ainsi **possession** des terres découvertes au nom du roi de France. Les Amérindiens n'apprécient pas ce geste.

17e siècle

Le 17e siècle en bref

Le commerce des fourrures est au centre des activités en Nouvelle-France. Les Français établissent des **postes de traite** pour ce commerce le long du fleuve Saint-Laurent. Ils organisent aussi des explorations pour mieux connaître le territoire et les peuples amérindiens fournisseurs de fourrures. Pendant ce temps, les colons **défrichent** de nouvelles terres. Ainsi, une société française s'organise en Amérique.

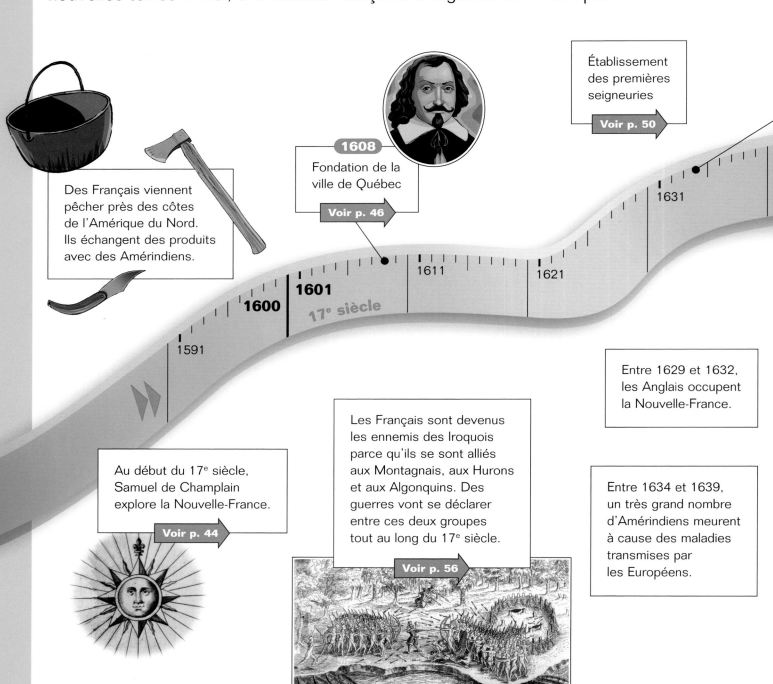

Établissement des premières seigneuries

Voir p. 50

1608

Fondation de la ville de Québec

Voir p. 46

1631

Des Français viennent pêcher près des côtes de l'Amérique du Nord. Ils échangent des produits avec des Amérindiens.

1611

1621

1601

1600

17e siècle

1591

1629 et 1632, les Anglais occupent la Nouvelle-France.

Au début du 17e siècle, Samuel de Champlain explore la Nouvelle-France.

Voir p. 44

Les Français sont devenus les ennemis des Iroquois parce qu'ils se sont alliés aux Montagnais, aux Hurons et aux Algonquins. Des guerres vont se déclarer entre ces deux groupes tout au long du 17e siècle.

Voir p. 56

Entre 1634 et 1639, un très grand nombre d'Amérindiens meurent à cause des maladies transmises par les Européens.

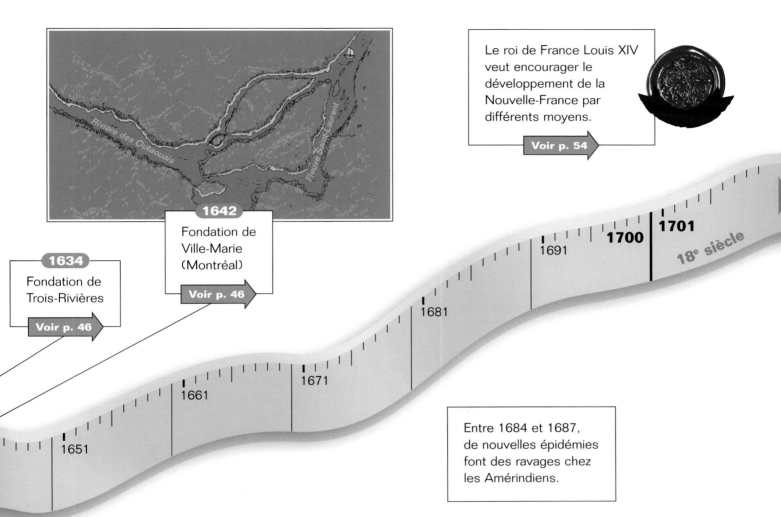

Voir p. 54

Le roi de France Louis XIV veut encourager le développement de la Nouvelle-France par différents moyens.

1634

Fondation de Trois-Rivières

Voir p. 46

1642

Fondation de Ville-Marie (Montréal)

Voir p. 46

1651

1661

1671

1681

1691

1700

1701

18ᵉ siècle

Entre 1684 et 1687, de nouvelles épidémies font des ravages chez les Amérindiens.

À la fin du 17ᵉ siècle, les fourrures se font rares, et les guerres iroquoises épuisent les combattants.

Voir p. 56

Le commerce des fourrures est l'activité économique la plus importante de la Nouvelle-France.

Voir p. 48

Des explorateurs français découvrent de nouveaux territoires en Amérique du Nord.

Voir p. 52

Des colons s'établissent sur les terres que des seigneurs leur **concèdent**. Ils défrichent le sol et pratiquent l'agriculture.

Voir p. 50

La naissance de la Nouvelle-France

Au début du 17e siècle, Samuel de Champlain arrive en Nouvelle-France. Il veut :

- explorer de nouveaux territoires ;
- continuer le commerce des fourrures avec les Amérindiens ;
- établir un **poste de traite**, c'est-à-dire un lieu d'échange avec les Amérindiens.

Champlain est convaincu qu'il est possible de fonder une colonie française en Amérique. On dit qu'il est le *Père de la Nouvelle-France*.

SAMUEL DE CHAMPLAIN
(vers 1567-1635)

▲

Samuel de Champlain, en plus d'être un explorateur, est aussi un géographe, un administrateur, un dessinateur et un écrivain.

LES EXPLORATIONS DE CHAMPLAIN

As-tu remarqué ?

Cette carte laisse croire qu'il y a peut-être des cours d'eau qui mènent vers l'Asie. Cela serait-il possible à partir du grand lac qui s'ouvre vers l'ouest ?

Au cours de ses explorations, Champlain se fait des **alliés** chez les Amérindiens. Il crée des alliances avec les Hurons, les Montagnais et les Algonquins. Ces alliances lui permettent de développer le commerce des fourrures.

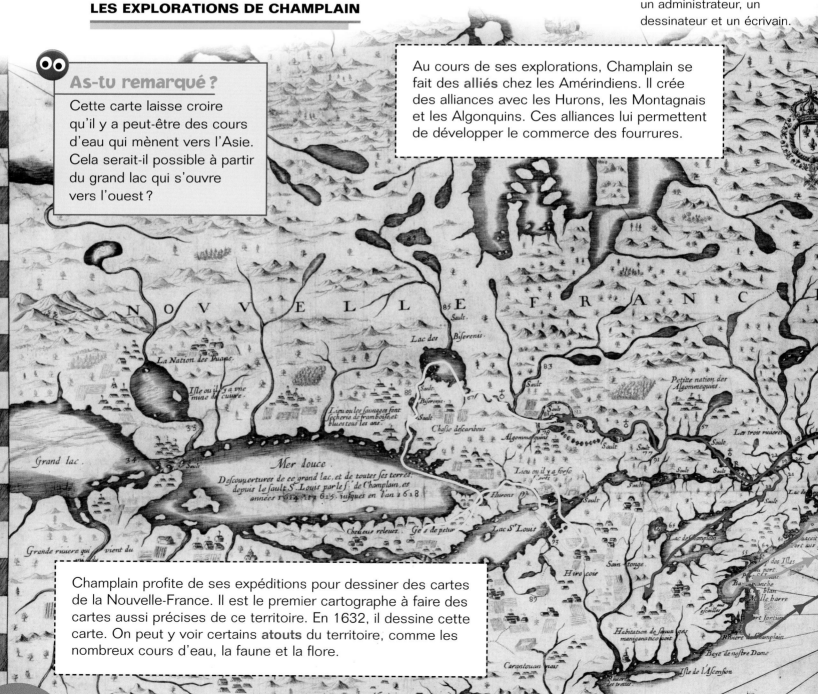

Champlain profite de ses expéditions pour dessiner des cartes de la Nouvelle-France. Il est le premier cartographe à faire des cartes aussi précises de ce territoire. En 1632, il dessine cette carte. On peut y voir certains **atouts** du territoire, comme les nombreux cours d'eau, la faune et la flore.

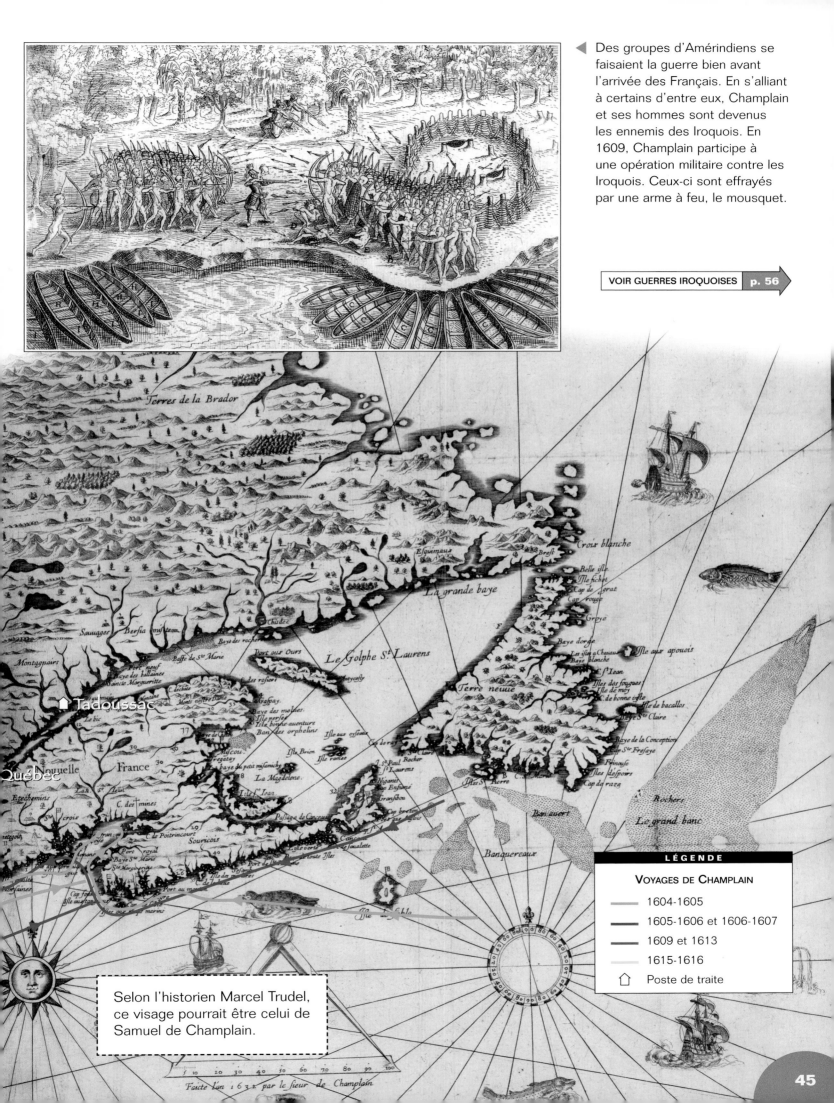

Des groupes d'Amérindiens se faisaient la guerre bien avant l'arrivée des Français. En s'alliant à certains d'entre eux, Champlain et ses hommes sont devenus les ennemis des Iroquois. En 1609, Champlain participe à une opération militaire contre les Iroquois. Ceux-ci sont effrayés par une arme à feu, le mousquet.

VOIR GUERRES IROQUOISES   p. 56

Selon l'historien Marcel Trudel, ce visage pourrait être celui de Samuel de Champlain.

LÉGENDE

VOYAGES DE CHAMPLAIN

———	1604-1605
———	1605-1606 et 1606-1607
———	1609 et 1613
———	1615-1616
⌂	Poste de traite

La Nouvelle-France jusqu'en 1645

Au début du 17ᵉ siècle, c'est le commerce des fourrures qui attire des Français en Nouvelle-France. Ce sont aussi les fourrures qui les poussent à explorer l'intérieur du **continent**. Les Français fondent des établissements le long du Saint-Laurent. En somme, peu de Français restent pour de bon en Nouvelle-France à cette époque. La plupart viennent y travailler durant quelques années, puis repartent en France.

LA NOUVELLE-FRANCE VERS 1645

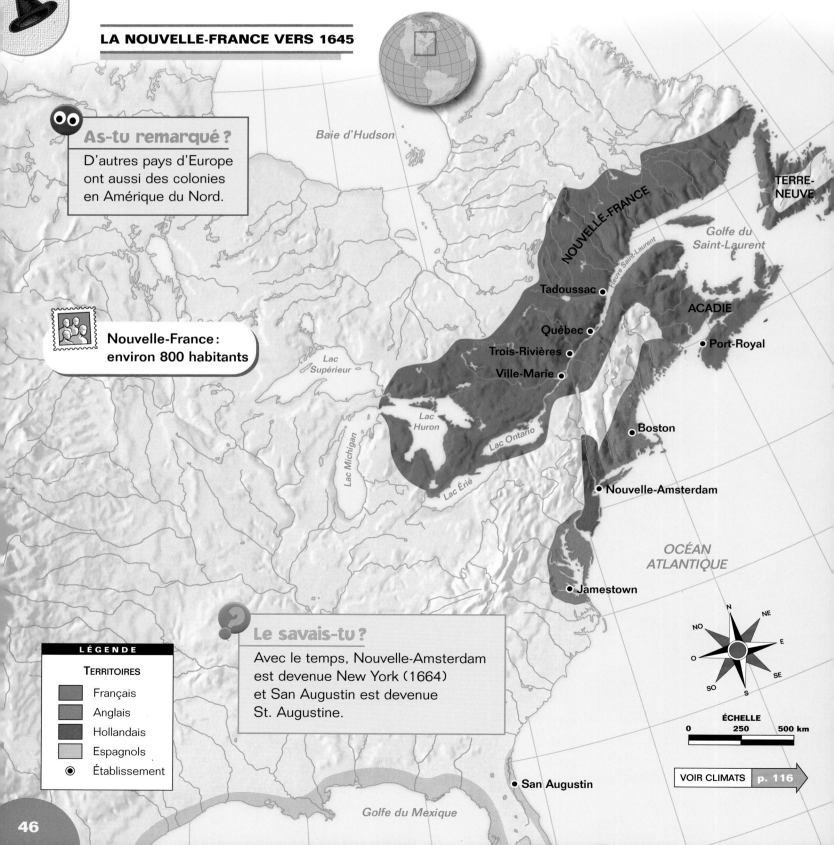

As-tu remarqué ?

D'autres pays d'Europe ont aussi des colonies en Amérique du Nord.

Nouvelle-France : environ 800 habitants

Le savais-tu ?

Avec le temps, Nouvelle-Amsterdam est devenue New York (1664) et San Augustin est devenue St. Augustine.

LÉGENDE

TERRITOIRES

- Français
- Anglais
- Hollandais
- Espagnols
- ◉ Établissement

ÉCHELLE
0   250   500 km

VOIR CLIMATS   p. 116

En 1608, Champlain fait construire l'*Abitation* à Québec. Champlain, des **missionnaires**, des commis et des ouvriers y vivent pendant les premières années de la colonie.

Fonctions de l'*Abitation*

- Protection des habitants contre l'ennemi (fort)
- Poste de traite
- Protection contre le froid
- Entrepôt
- Magasin

FONDATION DE QUÉBEC — 1608

FONDATEUR : Samuel de Champlain

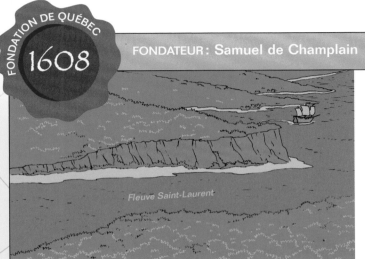

Fleuve Saint-Laurent

AVANTAGES DU SITE

- Fleuve étroit à cet endroit
- Colline servant de défense naturelle
- Port naturel assez profond pour que les navires **mouillent**
- Sols fertiles tout près du site

BUT DE LA FONDATION

- Installer une colonie française en Amérique

FONDATION DE TROIS-RIVIÈRES — 1634

FONDATEUR : Sieur de Laviolette

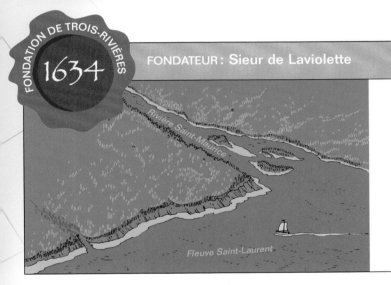

Rivière Saint-Maurice

Fleuve Saint-Laurent

AVANTAGES DU SITE

- Petite plateforme naturelle permettant de surveiller les allées et venues sur le fleuve
- Lieu de rencontre de cours d'eau (Saint-Laurent, Saint-Maurice), utilisé depuis longtemps déjà pour le commerce des fourrures

BUT DE LA FONDATION

- Construire un nouveau **poste de traite** le long du Saint-Laurent

FONDATION DE VILLE-MARIE — 1642

FONDATEUR : Paul Chomedey de Maisonneuve

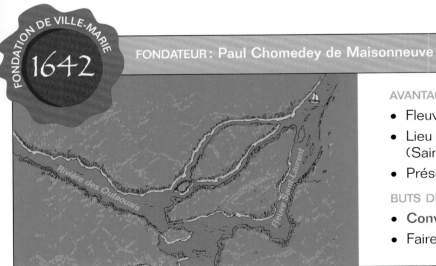

Rivière des Outaouais

Fleuve Saint-Laurent

AVANTAGES DU SITE

- Fleuve étroit à cet endroit
- Lieu de rencontre de plusieurs cours d'eau (Saint-Laurent, Outaouais)
- Présence d'animaux à fourrure

BUTS DE LA FONDATION

- **Convertir au catholicisme** les Amérindiens
- Faire le commerce des fourrures

Le commerce des fourrures au début du 17ᵉ siècle

Au début du 17ᵉ siècle, la France permet à des compagnies de développer la Nouvelle-France. Une d'entre elles, la Compagnie des Cent-Associés, est fondée en 1627. C'est la compagnie qui fait construire les **postes de traite**. Elle organise aussi les expéditions et paie le transport entre la France et la Nouvelle-France.

Le maître-traiteur est le représentant de la compagnie. Il regroupe toutes les peaux en **ballots** avant d'organiser leur transport vers Québec. Là, les ballots sont chargés sur des navires qui les transporteront en France.

Les postes de traite sont installés près des cours d'eau. Cela facilite le déplacement des personnes et des marchandises.

Les Amérindiens chassent les bêtes, préparent les peaux et les apportent au poste de traite.

Les animaux à fourrure de la Nouvelle-France

• Castor		• Martre	
• Loutre		• Raton laveur	
• Rat musqué		• Renard	
• Hermine		• Vison	

À partir de 1611, des **missionnaires** jésuites arrivent en Nouvelle-France. Entre 1615 et 1629, des missionnaires récollets viennent à leur tour **convertir au catholicisme** les Amérindiens. Ils apprennent leur langue et observent leur façon de vivre.

À partir de 1639, des religieuses s'installent en Nouvelle-France. Elles s'occupent surtout de l'éducation et des soins aux malades.

À partir des années 1660, plusieurs hommes participent à des expéditions pour le commerce des fourrures dans l'Ouest. Ce sont les coureurs des bois.

Dans les postes de traite, on fait du **troc**. Les Français reçoivent des fourrures en échange de produits qu'ils donnent aux Amérindiens. Parmi ces produits, on trouve des haches, des couteaux, des lames, des chaudrons de cuivre, des fusils, de la poudre et des balles.

Les peaux de castor servent à fabriquer des chapeaux de feutre très à la mode en Europe.

Vivre dans une seigneurie vers 1645

La vie en Nouvelle-France s'organise autour des commerçants, des communautés religieuses et des habitants qui cultivent le sol. Depuis 1627, la Compagnie des Cent-Associés distribue des terres à des seigneurs afin qu'ils les exploitent. Ce sont des seigneuries. Les seigneuries appartiennent à des gens plus fortunés (les seigneurs) ou à des communautés religieuses. Les terres sont divisées en lots et **concédées** à des colons ou des **censitaires**, qui veulent les cultiver.

EXEMPLES DES DEVOIRS	
Seigneur	**Colon (censitaire)**
• Donner une terre aux colons qui en font la demande • Habiter la seigneurie ou y désigner un représentant • Construire et entretenir un moulin à farine	• Défricher sa terre • Bâtir et habiter sa maison • Payer au seigneur une rente annuelle (en argent ou en produits de la ferme) • Faire moudre son grain au moulin du seigneur et lui en donner un quatorzième

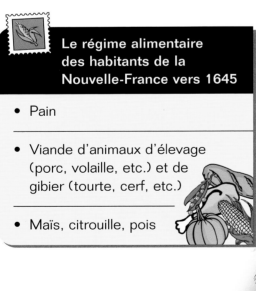

Le régime alimentaire des habitants de la Nouvelle-France vers 1645

• Pain

• Viande d'animaux d'élevage (porc, volaille, etc.) et de gibier (tourte, cerf, etc.)

• Maïs, citrouille, pois

Le plus souvent, les colons se construisent de petites maisons en bois. Ils se fabriquent aussi des meubles au fil des ans.

Le sol fertile est couvert de forêt. Les colons doivent couper le bois, enlever les souches et labourer la terre.

LES SEIGNEURIES ENTRE VILLE-MARIE ET QUÉBEC EN 1663

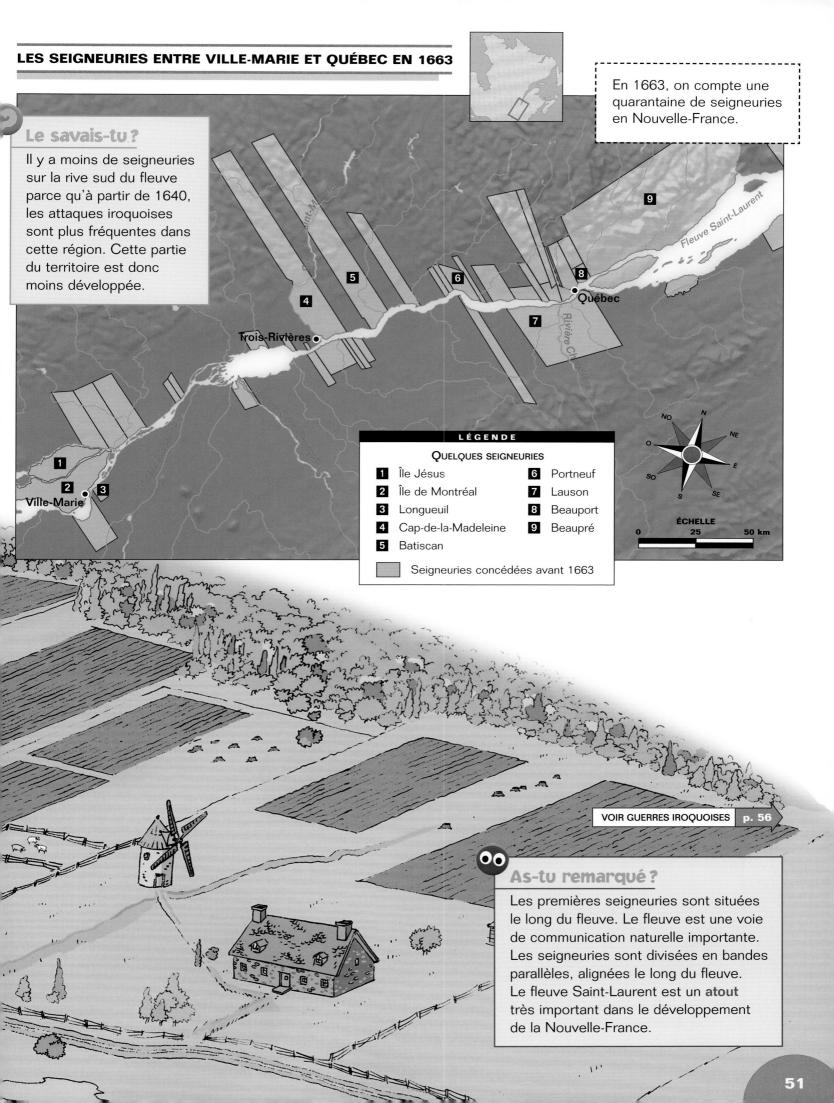

En 1663, on compte une quarantaine de seigneuries en Nouvelle-France.

Le savais-tu ?

Il y a moins de seigneuries sur la rive sud du fleuve parce qu'à partir de 1640, les attaques iroquoises sont plus fréquentes dans cette région. Cette partie du territoire est donc moins développée.

LÉGENDE

QUELQUES SEIGNEURIES

1 Île Jésus
2 Île de Montréal
3 Longueuil
4 Cap-de-la-Madeleine
5 Batiscan
6 Portneuf
7 Lauson
8 Beauport
9 Beaupré

Seigneuries concédées avant 1663

ÉCHELLE
0   25   50 km

VOIR GUERRES IROQUOISES p. 56

As-tu remarqué ?

Les premières seigneuries sont situées le long du fleuve. Le fleuve est une voie de communication naturelle importante. Les seigneuries sont divisées en bandes parallèles, alignées le long du fleuve. Le fleuve Saint-Laurent est un **atout** très important dans le développement de la Nouvelle-France.

Les explorations françaises en Amérique du Nord

À partir du milieu du 17ᵉ siècle, il y a de moins en moins d'animaux à fourrure le long du Saint-Laurent. Les Français mettent donc sur pied de grandes explorations. Grâce à ces explorations, ils souhaitent :

- agrandir le territoire de la Nouvelle-France ;
- développer le commerce des fourrures ;
- établir de nouveaux contacts avec les Amérindiens ;
- découvrir un passage vers l'Asie.

Le savais-tu ?

L'agrandissement de la colonie de la Nouvelle-France provoque des conflits avec l'Angleterre, qui veut elle aussi étendre son territoire.

Dans les années 1650, Pierre-Esprit Radisson et Médard Chouart des Groseilliers explorent les Grands Lacs et pénètrent dans l'arrière-pays. Plus tard, à la suite de désaccords avec la France, ils explorent la baie d'Hudson et ses rives pour le compte de l'Angleterre.

En 1673, Louis Jolliet et le père Jacques Marquette découvrent le Mississippi. ▶

René-Robert Cavelier de La Salle descend le fleuve Mississippi jusqu'au golfe du Mexique en 1682. Quelques années plus tard, il a la tâche de cartographier les côtes de ce golfe.

▼ **Les principales explorations françaises en Amérique du Nord**

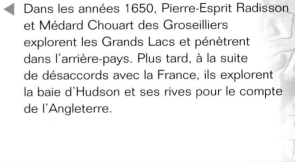

| 1615-1616 | 1634-1635 | 1641-1670 |
| Champlain | Nicolet | Jésuites et autres missionnaires |

1600 | 1601
1591 · 17ᵉ siècle · 1611 · 1621 · 1631 · 1641

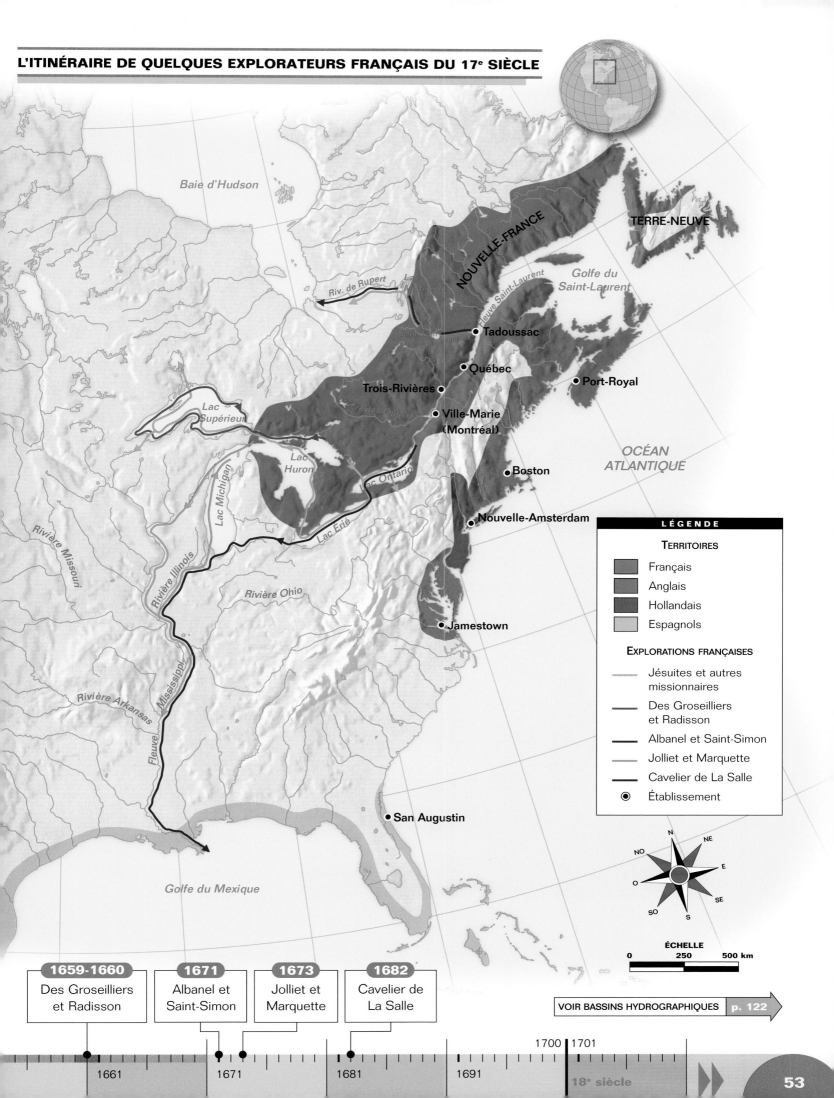

L'ITINÉRAIRE DE QUELQUES EXPLORATEURS FRANÇAIS DU 17ᵉ SIÈCLE

Baie d'Hudson

TERRE-NEUVE

NOUVELLE-FRANCE

Golfe du
Saint-Laurent

Riv. de Rupert

Lac Mistassini

Fleuve Saint-Laurent

● Tadoussac

● Québec

Trois-Rivières ●

Lac Supérieur

● Ville-Marie
(Montréal)

● Port-Royal

OCÉAN
ATLANTIQUE

Lac Huron

Lac Michigan

● Boston

Lac Ontario

Lac Érié

● Nouvelle-Amsterdam

Rivière Missouri

Rivière Illinois

Rivière Ohio

● Jamestown

Rivière Arkansas

Fleuve Mississippi

● San Augustin

Golfe du Mexique

LÉGENDE

TERRITOIRES

- Français
- Anglais
- Hollandais
- Espagnols

EXPLORATIONS FRANÇAISES

— Jésuites et autres missionnaires
— Des Groseilliers et Radisson
— Albanel et Saint-Simon
— Jolliet et Marquette
— Cavelier de La Salle
◉ Établissement

N
NE
NO
E
O
SE
S
SO

ÉCHELLE
0   250   500 km

VOIR BASSINS HYDROGRAPHIQUES   p. 122

1659-1660	1671	1673	1682
Des Groseilliers et Radisson	Albanel et Saint-Simon	Jolliet et Marquette	Cavelier de La Salle

1700 | 1701

1661   1671   1681   1691   18ᵉ siècle

Une volonté de développer la Nouvelle-France

Lorsque Louis XIV prend le pouvoir en 1661, la Nouvelle-France connaît les problèmes suivants :

■ la population est très peu nombreuse ;

■ les colons subissent les attaques des Iroquois ;

■ l'agriculture et l'industrie sont peu présentes sur le territoire.

Le Roi trouve des solutions pour accélérer le développement de la Nouvelle-France.

LOUIS XIV
(1638-1715)

▲ Louis XIV, le Roi-Soleil, dirige la France de 1661 à 1715.

Des dirigeants efficaces !

Roi Louis XIV

FRANCE

Ministre de la Marine

NOUVELLE-FRANCE

Gouverneur général
- Responsable des armées et des relations avec les Amérindiens et les Anglais

Intendant
- Responsable de l'administration civile, des affaires économiques et de la justice

◄ Jean Talon est le plus célèbre des intendants. Il applique les mesures du Roi avec succès. Par exemple, il encourage la création de nouvelles industries et d'un **chantier naval**, un endroit réservé à la construction des bateaux.

Le savais-tu ?

Dans les années 1660, la population autochtone est d'approximativement 900 personnes dans la vallée du Saint-Laurent. Elle est d'environ 10 000 dans le reste du territoire qui correspond au Québec d'aujourd'hui.

1605
Cervantès écrit *Don Quichotte*.

1616
Mort de Shakespeare, auteur anglais

▼ **Quelques repères culturels en Europe**

1600 | 1601

1591   17e siècle   1611   1621   1631   1641

Des femmes, des mariages et des enfants

Jusqu'en 1673, plus de 750 jeunes femmes françaises acceptent l'offre du Roi d'aller fonder une famille en Nouvelle-France. Ce sont les *filles du roy*. De plus, pour encourager les naissances, le Roi donne des amendes aux parents déjà établis en Nouvelle-France s'ils tardent à marier leurs filles ou leurs fils.

Soldats, puis colons

Le roi Louis XIV envoie 1200 soldats du régiment de Carignan-Salières pour protéger les colons des Iroquois. Le Roi offre ensuite aux soldats des terres en Nouvelle-France. Quatre cents d'entre eux décident de s'y établir.

La répartition de la population en Nouvelle-France vers 1660

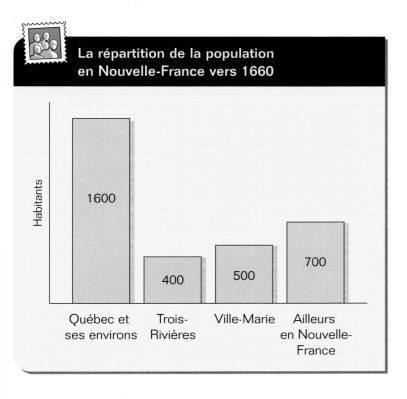

Habitants

- Québec et ses environs : 1600
- Trois-Rivières : 400
- Ville-Marie : 500
- Ailleurs en Nouvelle-France : 700

L'augmentation de la population en Nouvelle-France de 1665 à 1700

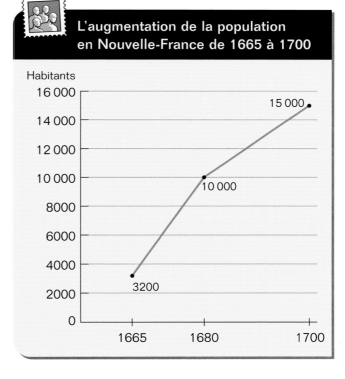

Habitants

- 1665 : 3200
- 1680 : 10 000
- 1700 : 15 000

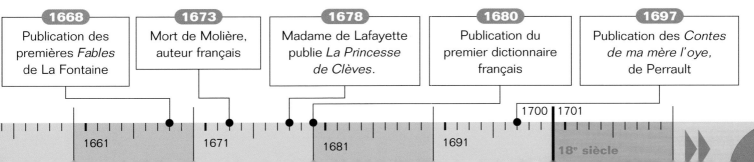

1668 — Publication des premières *Fables* de La Fontaine

1673 — Mort de Molière, auteur français

1678 — Madame de Lafayette publie *La Princesse de Clèves*.

1680 — Publication du premier dictionnaire français

1697 — Publication des *Contes de ma mère l'oye*, de Perrault

1700 | 1701

1661   1671   1681   1691   18ᵉ siècle

Les guerres iroquoises

Depuis le début du 16e siècle, les Amérindiens échangent des fourrures contre des produits européens. Ces produits arrivent à l'intérieur du continent par le fleuve Saint-Laurent. Tout au long du 17e siècle, des guerres éclatent entre différents peuples amérindiens, car tous veulent contrôler la circulation des fourrures et des produits sur le fleuve Saint-Laurent.

◄ Au début du 17e siècle, les Iroquois deviennent les **alliés** des Anglais et des Hollandais établis le long de la côte atlantique. Vers 1640, les Anglais fournissent des fusils aux Iroquois en échange de fourrures. Au cours des années suivantes, les Iroquois vont faire la guerre aux peuples amérindiens de la région des Grands Lacs. Ils vont les chasser de leur territoire.

Autour de 1640, on bâtit des forts pour protéger la colonie des attaques iroquoises. Les établissements de Montréal, de Trois-Rivières et de Québec sont à la fois des postes de traite et des forts. À la même époque, le fort de Sainte-Marie-des-Hurons et le fort Richelieu sont construits. Plusieurs autres forts s'ajouteront par la suite. ▶

◄ Vers 1660, surtout dans l'île de Montréal, les attaques des Iroquois obligent souvent les colons à quitter leur terre pour se réfugier dans le fort.

▼ Les guerres et la paix avec les Iroquois

■ Périodes de paix

1609	**1639**	**1641**	**1642**	**1648-165**
Premier combat : Champlain contre les Iroquois.	Construction du fort Sainte-Marie-des-Hurons	Les Iroquois déclarent la guerre aux Français.	Construction du fort Richelieu	Les Iroquois détruisent la Huronie.

1600 | 1601

1611   1621   1631   1641

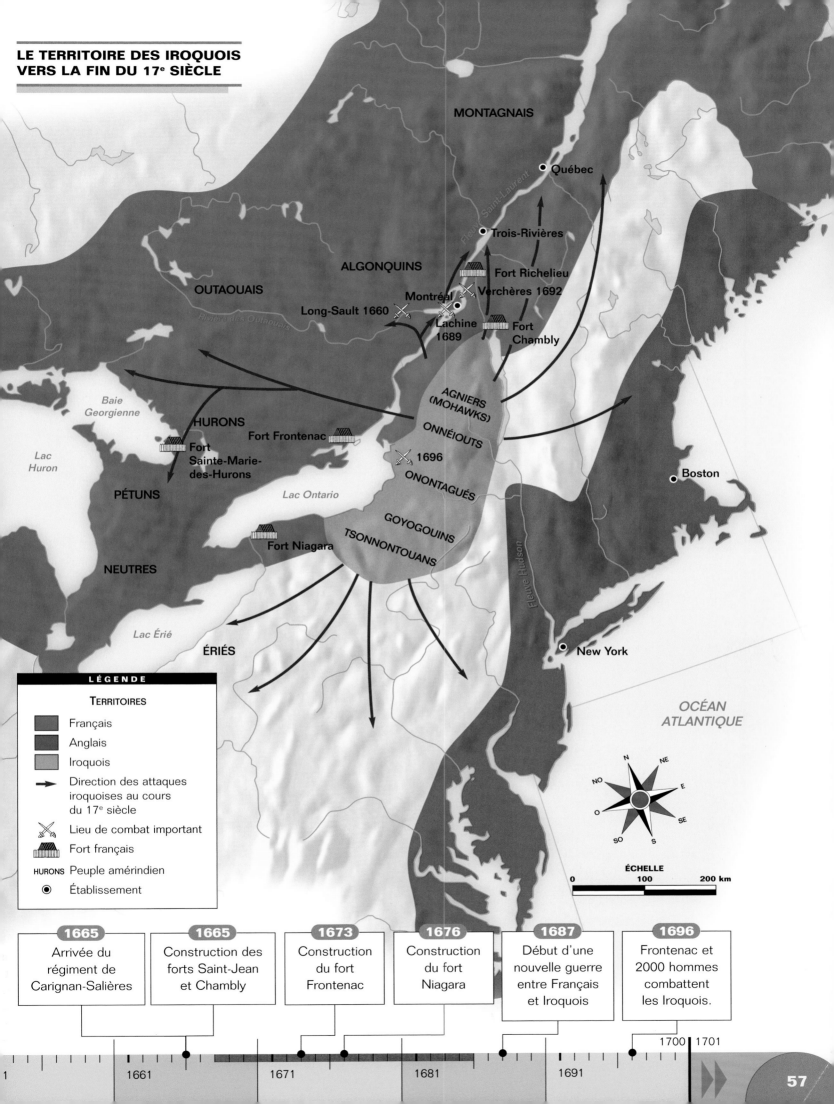

LE TERRITOIRE DES IROQUOIS VERS LA FIN DU 17e SIÈCLE

MONTAGNAIS

Québec

Trois-Rivières

ALGONQUINS

Fort Richelieu

Montréal
Verchères 1692

Long-Sault 1660
Lachine 1689
Fort Chambly

OUTAOUAIS

Rivière des Outaouais

Baie Georgienne

HURONS

Fort Frontenac

AGNIERS (MOHAWKS)

ONNÉIOUTS

Fort Sainte-Marie-des-Hurons

1696

Lac Huron

PÉTUNS

ONONTAGUÉS

Lac Ontario

GOYOGOUINS

Boston

Fort Niagara

TSONNONTOUANS

NEUTRES

Fleuve Hudson

Lac Érié

ÉRIÉS

New York

OCÉAN ATLANTIQUE

LÉGENDE

TERRITOIRES

Français

Anglais

Iroquois

→ Direction des attaques iroquoises au cours du 17e siècle

⚔ Lieu de combat important

🏰 Fort français

HURONS Peuple amérindien

◉ Établissement

ÉCHELLE
0   100   200 km

NO N NE
O E
SO SE
S

1665	**1665**	**1673**	**1676**	**1687**	**1696**
Arrivée du régiment de Carignan-Salières	Construction des forts Saint-Jean et Chambly	Construction du fort Frontenac	Construction du fort Niagara	Début d'une nouvelle guerre entre Français et Iroquois	Frontenac et 2000 hommes combattent les Iroquois.

1700 | 1701

1   1661   1671   1681   1691

18e siècle

Le 18e siècle en bref

Dans la première moitié du 18e siècle, les conditions de vie des habitants de la société canadienne en Nouvelle-France s'améliorent. C'est aussi le cas dans les sociétés britanniques d'Amérique du Nord établies le long de la côte atlantique. Les dirigeants de ces sociétés cherchent à étendre leur territoire du côté de la Nouvelle-France. Durant la même période, les guerres se succèdent en Europe. Dans la seconde moitié du siècle, la *guerre de Sept Ans* a pour conséquence de placer la Nouvelle-France sous la domination de la Grande-Bretagne. Il en résulte de grands changements pour la société canadienne.

1705

Le territoire de la Nouvelle-France est très vaste en raison des explorations françaises.

Voir p. 60

Peu à peu, le commerce s'établit entre la France, la Nouvelle-France et les Antilles.

Voir p. 66

1691 **1700** **1701** 1711 1721 1731

18e siècle

1701

Les Cinq Nations iroquoises conviennent d'une paix durable avec les représentants de la France et des autres peuples amérindiens. C'est la *Grande Paix de Montréal*. Les Iroquois promettent de ne pas se mêler des conflits entre les Français et les Anglais.

1720

La population de la Nouvelle-France augmente de plus en plus. Cette augmentation est surtout due à une forte **natalité**.

1730

À la campagne, les habitants vivent surtout de l'agriculture. Des seigneuries se développent le long des rivières Chaudière et Richelieu.

Voir p. 62

1759

En Amérique du Nord, c'est la guerre de Sept Ans. La ville de Québec est conquise par les Britanniques.

Voir p. 72

1763

La Nouvelle-France passe sous la domination de la Grande-Bretagne. Les territoires de la vallée du Saint-Laurent deviennent la Province de Québec.

Voir p. 74

1783

Naissance d'un nouveau pays : les États-Unis d'Amérique.

Voir p. 76

1751

1761

1771

1781

1791 **1800** **1801**

19e siècle

1745

En ville, les habitants vivent surtout de commerce, d'artisanat et des activités de la construction.

Voir p. 64

1760

Capitulation de Montréal et de toute la colonie française aux mains des Britanniques

Voir p. 72

1775

Début de la guerre de l'Indépendance américaine. Les habitants des Treize Colonies britanniques se révoltent contre la Grande-Bretagne.

Au milieu du siècle, il ne reste qu'environ 10 000 Amérindiens dans la vallée du Saint-Laurent.

Voir p. 68

Les Treize Colonies britanniques occupent un territoire voisin de la Nouvelle-France. Elles sont très peuplées et cherchent à étendre leur territoire.

Voir p. 70

1791

La Grande-Bretagne tente de satisfaire ses sujets, Canadiens et **loyalistes**. Elle crée l'*Acte constitutionnel* en 1791.

Voir p. 78

L'évolution de la Nouvelle-France

Au début du 18ᵉ siècle, la France et deux autres pays d'Europe ont des colonies en Amérique du Nord. La Grande-Bretagne s'est bien implantée sur la côte atlantique et l'Espagne s'est installée au sud. L'objectif de ces pays est d'exploiter leurs colonies pour développer leur puissance. Ils se font la guerre en Europe et en Amérique, ce qui entraîne des changements aux territoires de leurs colonies.

LA NOUVELLE-FRANCE VERS 1700

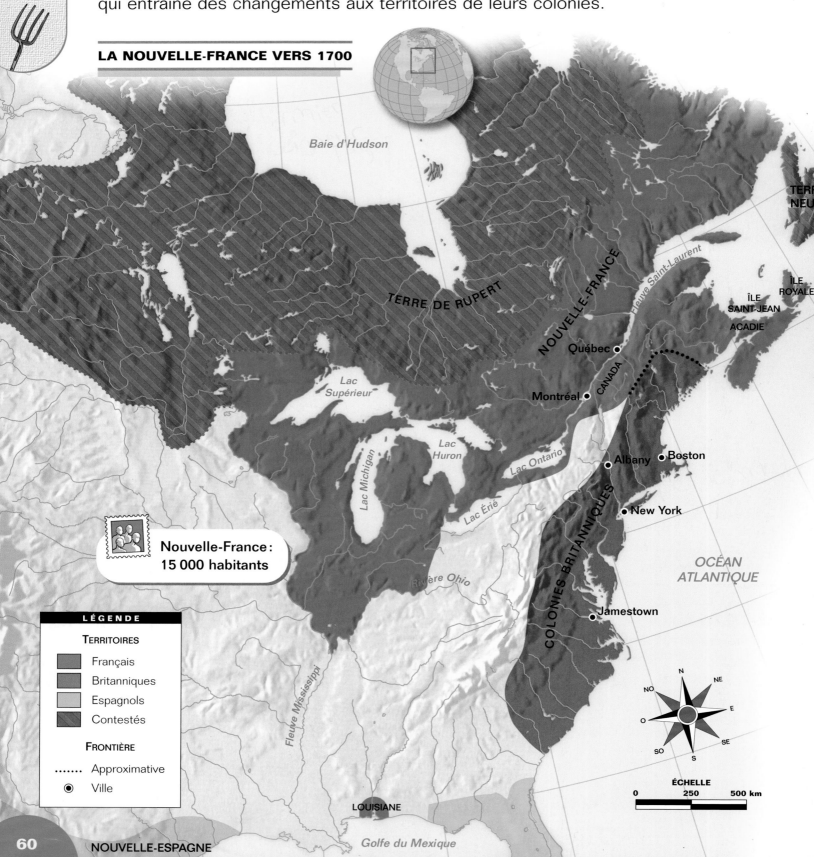

Nouvelle-France :
15 000 habitants

LÉGENDE

TERRITOIRES
- Français
- Britanniques
- Espagnols
- Contestés

FRONTIÈRE
- ...... Approximative
- ◉ Ville

ÉCHELLE
0   250   500 km

NOUVELLE-ESPAGNE

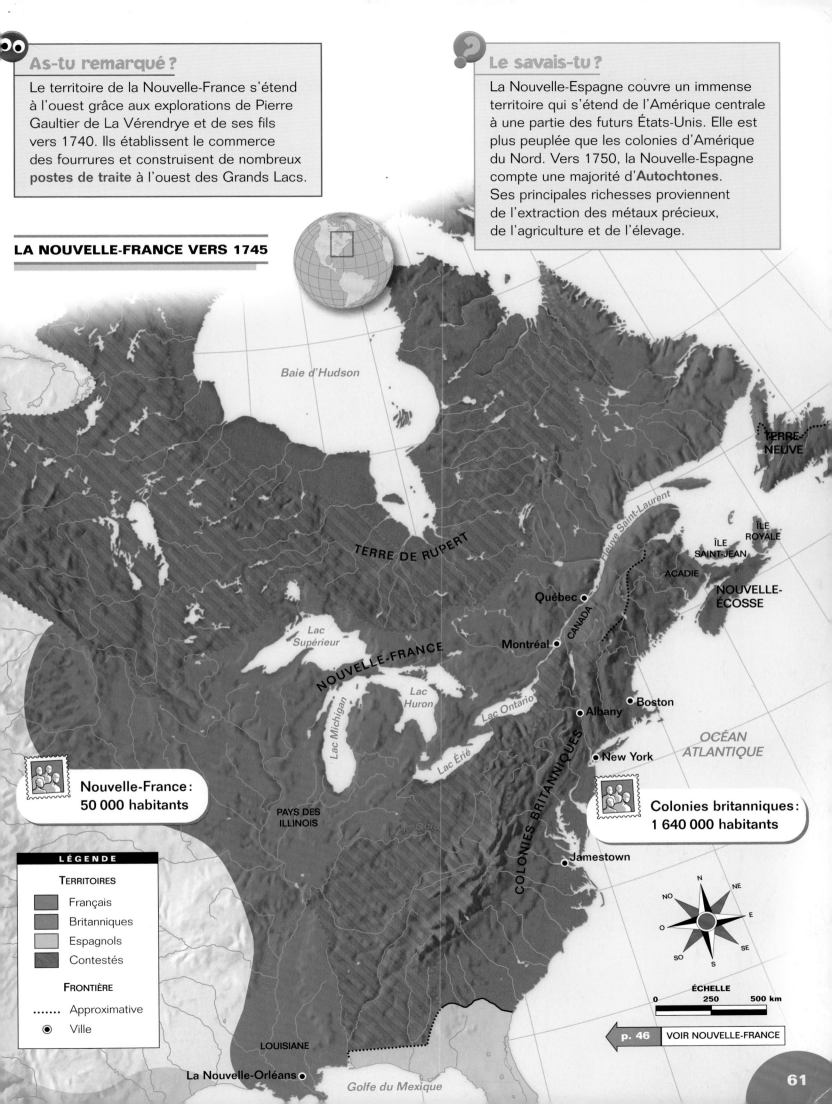

As-tu remarqué ?

Le territoire de la Nouvelle-France s'étend à l'ouest grâce aux explorations de Pierre Gaultier de La Vérendrye et de ses fils vers 1740. Ils établissent le commerce des fourrures et construisent de nombreux **postes de traite** à l'ouest des Grands Lacs.

Le savais-tu ?

La Nouvelle-Espagne couvre un immense territoire qui s'étend de l'Amérique centrale à une partie des futurs États-Unis. Elle est plus peuplée que les colonies d'Amérique du Nord. Vers 1750, la Nouvelle-Espagne compte une majorité d'**Autochtones**. Ses principales richesses proviennent de l'extraction des métaux précieux, de l'agriculture et de l'élevage.

LA NOUVELLE-FRANCE VERS 1745

Baie d'Hudson

TERRE DE RUPERT

TERRE-NEUVE

Fleuve Saint-Laurent

ÎLE ROYALE

ÎLE SAINT-JEAN

ACADIE

NOUVELLE-ÉCOSSE

Québec

CANADA

Montréal

Lac Supérieur

NOUVELLE-FRANCE

Lac Michigan

Lac Huron

Lac Ontario

Lac Érié

Boston

Albany

New York

OCÉAN ATLANTIQUE

COLONIES BRITANNIQUES

PAYS DES ILLINOIS

Rivière Ohio

Jamestown

Nouvelle-France : 50 000 habitants

Colonies britanniques : 1 640 000 habitants

LÉGENDE

TERRITOIRES

- Français
- Britanniques
- Espagnols
- Contestés

FRONTIÈRE

...... Approximative

◉ Ville

LOUISIANE

La Nouvelle-Orléans

Golfe du Mexique

ÉCHELLE

0   250   500 km

p. 46   VOIR NOUVELLE-FRANCE

N NE
NO   E
O   E
SO   SE
S

61

La vie à la campagne vers 1745

Au cours des premières **décennies** du 18e siècle, la qualité de vie en Nouvelle-France s'améliore. En milieu **rural**, les habitants tirent avantage des terres déboisées et **défrichées**, du sol fertile, d'une bonne saison de culture et des nombreux cours d'eau.

Pour protéger les maisons du froid, les habitants construisent des fondations et posent des doubles fenêtres.

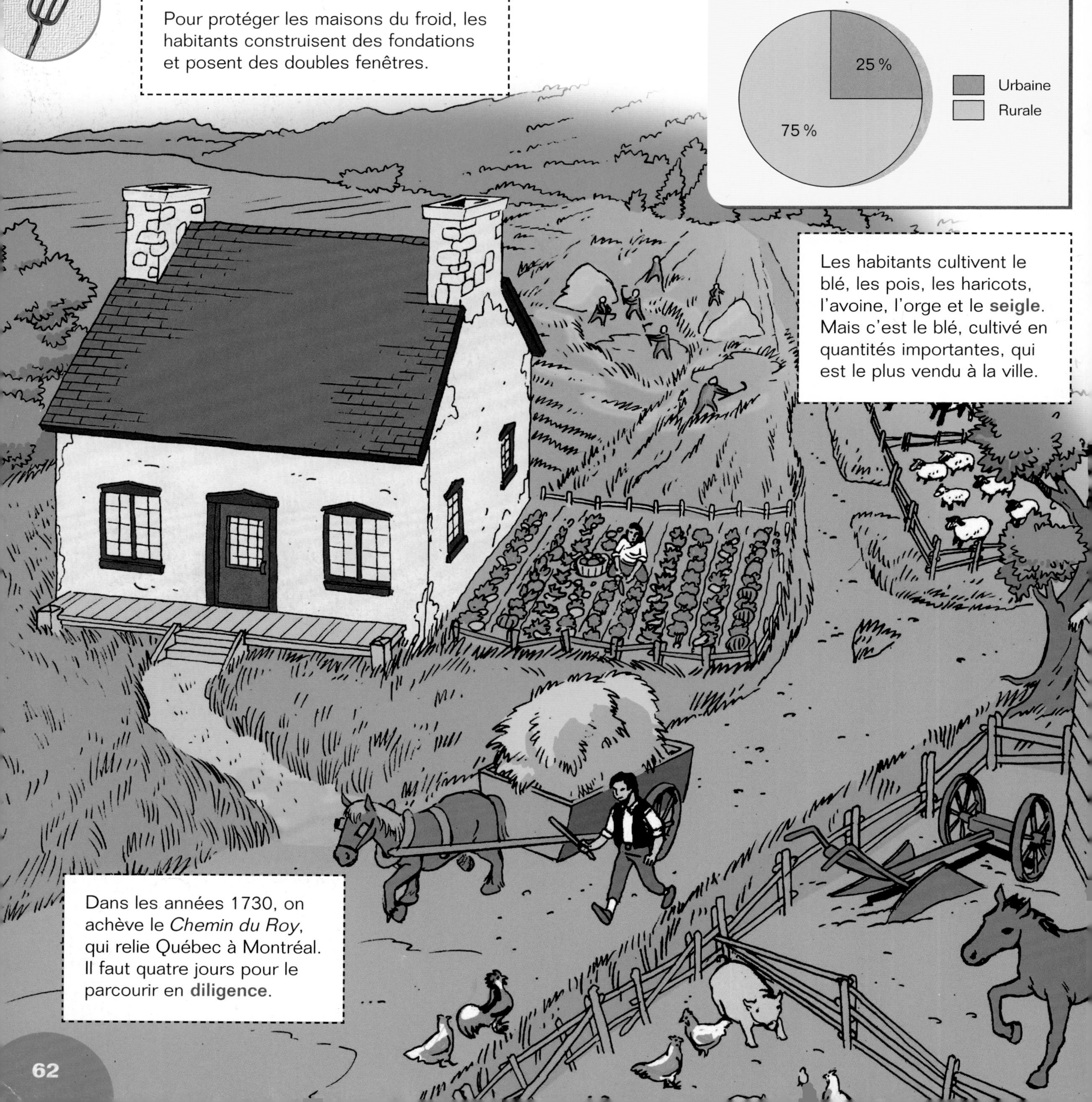

La répartition de la population selon le milieu de vie

25 %

75 %

Urbaine
Rurale

Les habitants cultivent le blé, les pois, les haricots, l'avoine, l'orge et le **seigle**. Mais c'est le blé, cultivé en quantités importantes, qui est le plus vendu à la ville.

Dans les années 1730, on achève le *Chemin du Roy*, qui relie Québec à Montréal. Il faut quatre jours pour le parcourir en **diligence**.

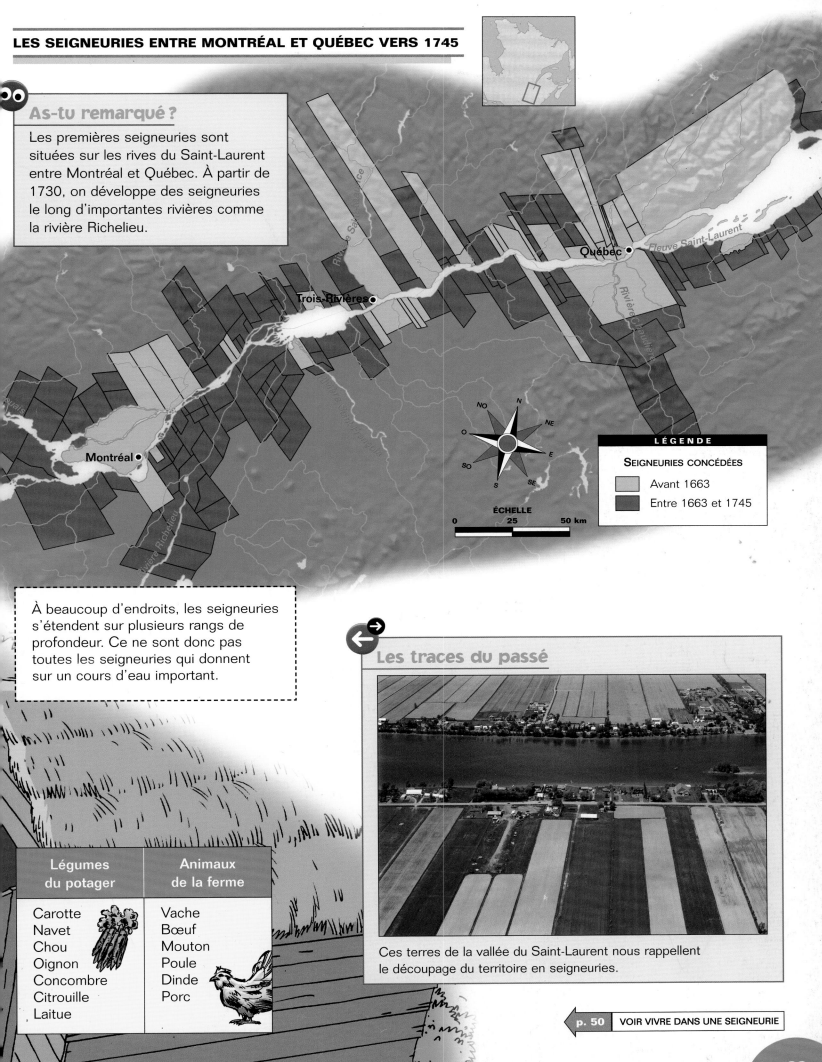

As-tu remarqué ?

Les premières seigneuries sont situées sur les rives du Saint-Laurent entre Montréal et Québec. À partir de 1730, on développe des seigneuries le long d'importantes rivières comme la rivière Richelieu.

À beaucoup d'endroits, les seigneuries s'étendent sur plusieurs rangs de profondeur. Ce ne sont donc pas toutes les seigneuries qui donnent sur un cours d'eau important.

LÉGENDE

SEIGNEURIES CONCÉDÉES

Avant 1663

Entre 1663 et 1745

ÉCHELLE

0   25   50 km

NO · N · NE · O · E · SO · S · SE

Rivière Saint-Maurice

Rivière Saint-François

Rivière Richelieu

Fleuve Saint-Laurent

Rivière Chaudière

Québec

Trois-Rivières

Montréal

Légumes du potager	Animaux de la ferme
Carotte	Vache
Navet	Bœuf
Chou	Mouton
Oignon	Poule
Concombre	Dinde
Citrouille	Porc
Laitue	

Les traces du passé

Ces terres de la vallée du Saint-Laurent nous rappellent le découpage du territoire en seigneuries.

p. 50 VOIR VIVRE DANS UNE SEIGNEURIE

La ville de Québec vers 1745

Vers 1745, les villes de la Nouvelle-France se sont développées. En milieu **urbain**, on trouve des maisons, des édifices de communautés religieuses, des églises, des auberges, des cabarets et des magasins. Québec est la ville la plus importante de la Nouvelle-France.

Le savais-tu ?

À cette époque, il n'y a pas de collecte de déchets. Les égouts sont à ciel ouvert et dégagent des odeurs désagréables, surtout au printemps, quand la neige fond. Les maladies sont fréquentes et causent la mort de plusieurs enfants.

▶ Les maisons de ville sont souvent faites de pierre. Des échelles sont fixées sur les toits pour permettre de nettoyer les cheminées et ainsi éviter les incendies. Les maisons sont séparées par des hauts murs de pierre qui servent de coupe-feu.

La haute-ville est surtout le milieu de vie des religieux, des nobles et des dirigeants.

Rivière Saint-Charles

Hôtel-Dieu

Collège des Jésuites

Séminaire

Place de la Haute-Ville

Cathédrale Notre-Dame

Palais épiscopal

Place de la Bass

Place d'Armes

Monastère des Récollets

Monastère des Ursulines

Château Saint-Louis

▼ **Quelques repères culturels en Europe**

1719
D. Defoe publie *Robinson Crusoé.*

1726
J. Swift publie *Les Voyages de Gulliver.*

1748
Découverte des ruines de Pompéi

1691 · 1700 | 1701 · 18e siècle · 1711 · 1721 · 1731 · 1741

Une scène du marché en hiver

Été comme hiver et tout au long du 18e et du 19e siècle, le marché de la place de la Basse-Ville grouille d'activités chaque semaine. Les gens échangent, achètent ou vendent des aliments qui proviennent des seigneuries ainsi que différents produits fabriqués par les artisans.

Des métiers en 1745

- Cordonnier
- Tanneur
- Forgeron
- Voiturier
- Charretier
- Tonnelier ▼
- Maçon
- Tailleur
- Aubergiste
- Navigateur
- Boucher
- Boulanger
- Charpentier

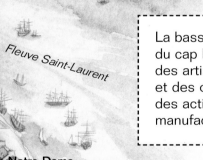

Fleuve Saint-Laurent

é Notre-Dame-
Victoires

La basse-ville est située au pied du cap Diamant. C'est le quartier des artisans, des marchands et des ouvriers. La plupart des activités commerciales et manufacturières s'y déroulent.

Le port de Québec est le point d'embarquement des fourrures et d'autres marchandises pour la France. Aussi, on y construit et répare des navires.

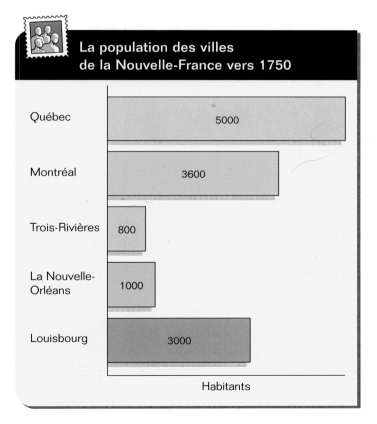

La population des villes de la Nouvelle-France vers 1750

Ville	Habitants
Québec	5000
Montréal	3600
Trois-Rivières	800
La Nouvelle-Orléans	1000
Louisbourg	3000

Habitants

1755
Tremblement de terre à Lisbonne (30 000 morts)

1756
Naissance de Mozart

1770
Naissance de Beethoven

1789
Révolution française

1800 | 1801

1761   1771   1781   1791   19e siècle

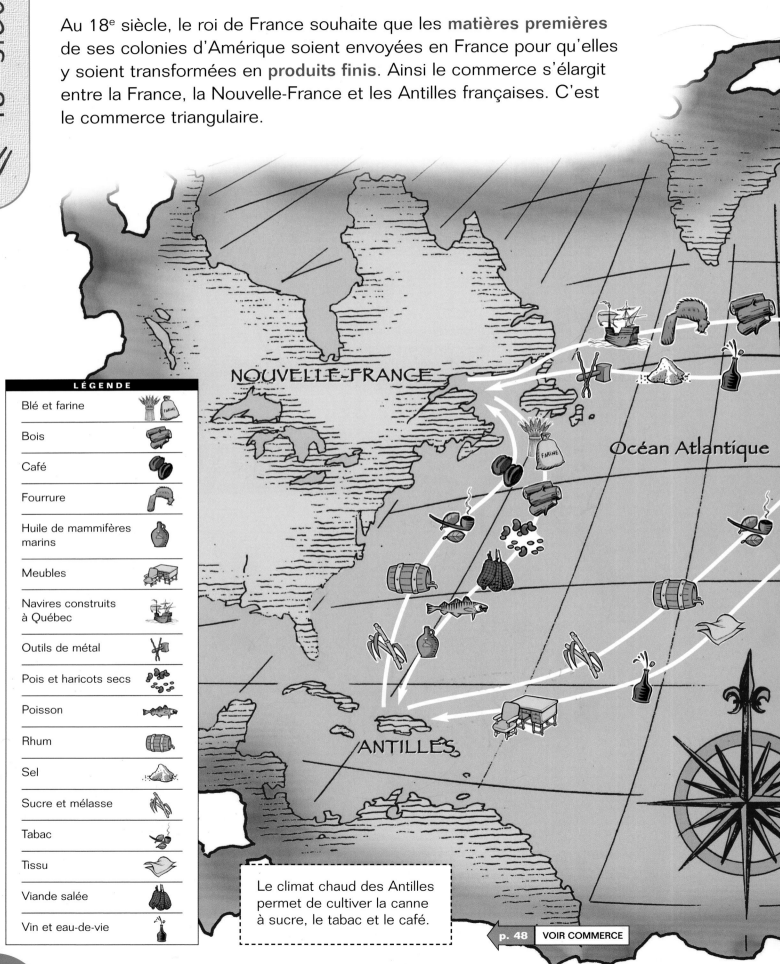

Le commerce triangulaire vers 1745

Au 18ᵉ siècle, le roi de France souhaite que les **matières premières** de ses colonies d'Amérique soient envoyées en France pour qu'elles y soient transformées en **produits finis**. Ainsi le commerce s'élargit entre la France, la Nouvelle-France et les Antilles françaises. C'est le commerce triangulaire.

NOUVELLE-FRANCE

Océan Atlantique

ANTILLES

LÉGENDE	
Blé et farine	
Bois	
Café	
Fourrure	
Huile de mammifères marins	
Meubles	
Navires construits à Québec	
Outils de métal	
Pois et haricots secs	
Poisson	
Rhum	
Sel	
Sucre et mélasse	
Tabac	
Tissu	
Viande salée	
Vin et eau-de-vie	

Le climat chaud des Antilles permet de cultiver la canne à sucre, le tabac et le café.

p. 48 | VOIR COMMERCE

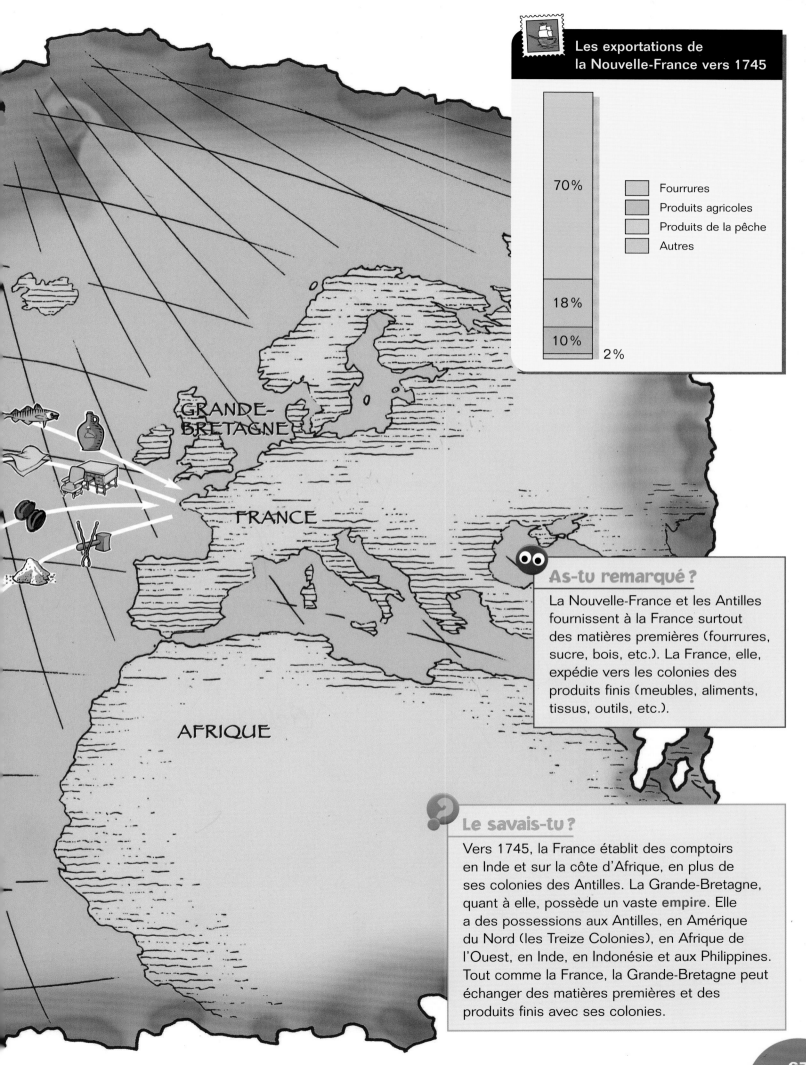

Les exportations de la Nouvelle-France vers 1745

70%

18%

10%

2%

Fourrures

Produits agricoles

Produits de la pêche

Autres

GRANDE-BRETAGNE

FRANCE

AFRIQUE

As-tu remarqué?

La Nouvelle-France et les Antilles fournissent à la France surtout des matières premières (fourrures, sucre, bois, etc.). La France, elle, expédie vers les colonies des produits finis (meubles, aliments, tissus, outils, etc.).

Le savais-tu?

Vers 1745, la France établit des comptoirs en Inde et sur la côte d'Afrique, en plus de ses colonies des Antilles. La Grande-Bretagne, quant à elle, possède un vaste **empire**. Elle a des possessions aux Antilles, en Amérique du Nord (les Treize Colonies), en Afrique de l'Ouest, en Inde, en Indonésie et aux Philippines. Tout comme la France, la Grande-Bretagne peut échanger des matières premières et des produits finis avec ses colonies.

Les Iroquoiens vers 1745

Vers 1745, les Canadiens sont en contact avec deux groupes d'Iroquoiens. Le premier groupe habite la **vallée** du Saint-Laurent. Les Iroquoiens qui en font partie sont **domiciliés**. Ils sont installés dans des villages qui comprennent parfois des **missions**. Le second groupe d'Iroquoiens habite autour des Grands Lacs et continue à vivre comme ses ancêtres.

p. 22 VOIR IROQUOIENS

Le savais-tu ?

Une mission est un établissement où des **missionnaires convertissent au catholicisme** les Amérindiens des environs. Une mission peut abriter une chapelle, une ferme, un hôpital, la résidence des missionnaires et un cimetière.

Presque tous les Hurons et les Agniers (Mohawks) domiciliés parlent le français et sont convertis à la religion catholique. Cependant, ils se transmettent encore leurs traditions religieuses **ancestrales**.

Les Agniers (Mohawks) de Kahnawake habitent des maisons longues. Les Hurons de Wendake vivent dans des maisons canadiennes. Dans chaque village, les Iroquoiens domiciliés se gouvernent eux-mêmes.

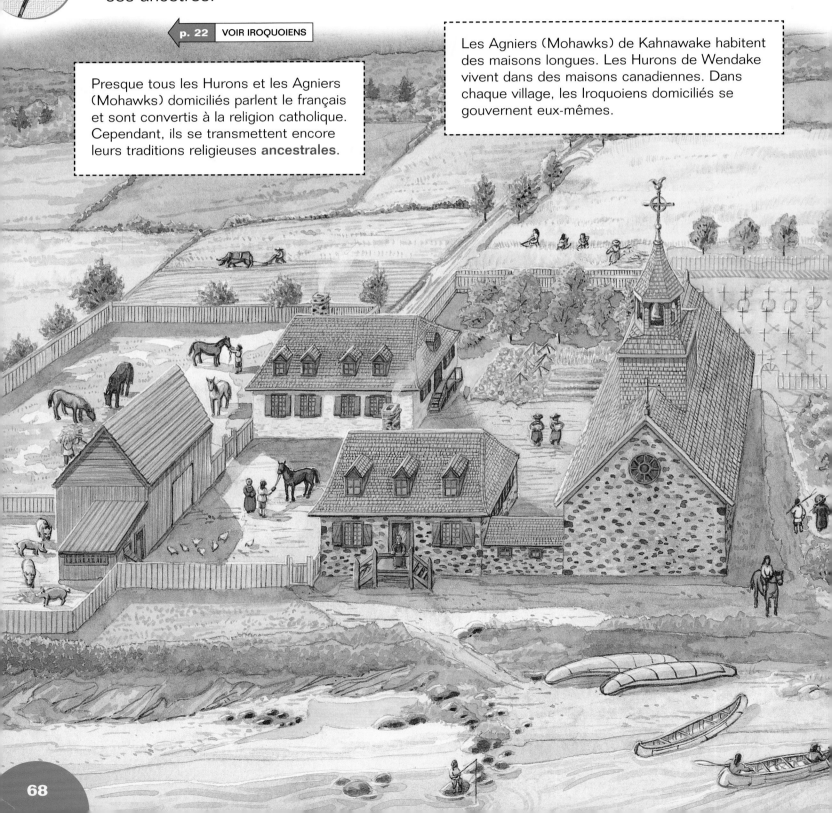

LES VILLAGES AMÉRINDIENS DE LA VALLÉE DU SAINT-LAURENT VERS 1745

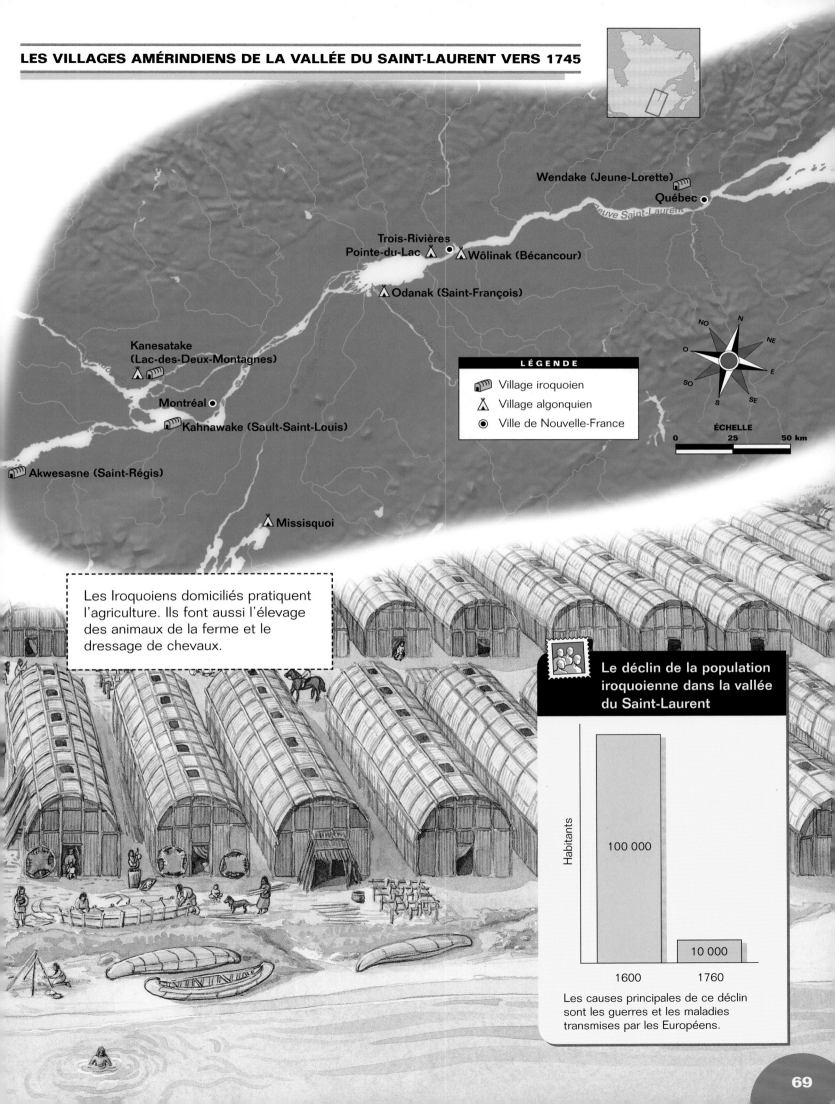

Wendake (Jeune-Lorette)

Québec

Fleuve Saint-Laurent

Trois-Rivières
Pointe-du-Lac

Wôlinak (Bécancour)

Odanak (Saint-François)

Kanesatake
(Lac-des-Deux-Montagnes)

Montréal

Kahnawake (Sault-Saint-Louis)

Akwesasne (Saint-Régis)

Missisquoi

LÉGENDE

Village iroquoien

Village algonquien

Ville de Nouvelle-France

ÉCHELLE

0   25   50 km

N
NO   NE
O   E
SO   SE
S

Les Iroquoiens domiciliés pratiquent l'agriculture. Ils font aussi l'élevage des animaux de la ferme et le dressage de chevaux.

Le déclin de la population iroquoienne dans la vallée du Saint-Laurent

Habitants

100 000

10 000

1600   1760

Les causes principales de ce déclin sont les guerres et les maladies transmises par les Européens.

Les Treize Colonies britanniques vers 1745

Au milieu du 18e siècle, plus d'un million et demi de personnes vivent dans les Treize Colonies britanniques. Ces personnes viennent d'Angleterre, d'Irlande, d'Écosse, d'Allemagne, de Hollande et de Suède. Leur mode de vie et leurs activités économiques sont influencés par les **atouts** et les **contraintes** du territoire.

LES TREIZE COLONIES

MASS. : Massachusetts
CONN. : Connecticut

LÉGENDE

TERRITOIRES

- Français
- Britanniques
- Espagnols
- Contestés

FRONTIÈRES

- ——— Définie
- .... Approximative
- ▪▪▪▪ Limite des regroupements de colonies

ÉCHELLE
0   250   500 km

p. 61   VOIR TERRITOIRE

As-tu remarqué ?

Près de la côte atlantique, la plaine est beaucoup plus vaste au sud qu'au nord des Treize Colonies.

Les Appalaches forment une barrière naturelle à l'ouest.

Des cours d'eau importants prennent naissance dans les Appalaches.

Le mode de gouvernement d'une colonie (1745)

GRANDE-BRETAGNE

Roi

TREIZE COLONIES

Gouverneur de la colonie
- Agit au nom du roi ou du propriétaire de la colonie.
- Applique ou rejette les lois votées à l'assemblée.
- Fait des lois.

Conseil du gouverneur
- Membres nommés par le gouverneur.
- Vote les lois.
- Approuve ou non les lois proposées par l'assemblée.

Assemblée
- Membres élus par le peuple.
- Vote les lois.

Peuple
- Seuls les hommes, propriétaires de terres, ont le droit de voter.

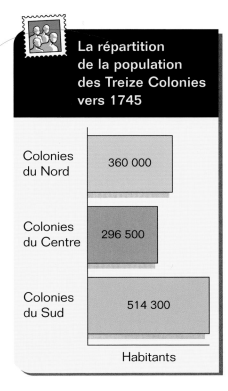

La répartition de la population des Treize Colonies vers 1745

	Habitants
Colonies du Nord	360 000
Colonies du Centre	296 500
Colonies du Sud	514 300

RESSOURCES (atouts ou contraintes)

ACTIVITÉS ÉCONOMIQUES

NORD
- Bois des forêts
- Sol peu fertile
- Étés chauds et humides, hivers rigoureux
- Poissons de mer

→
- Construction (navires, bâtiments)
- Transformation du bois et de divers matériaux
- Culture du maïs, des légumes et des fruits
- **Pêche commerciale** (morue, thon, espadon, baleine, etc.)

CENTRE
- Sol fertile
- Étés longs et chauds, hivers doux
- Mines de fer et de **potasse**

→
- Culture du blé, de légumes et de fruits
- Élevage de **bovins**, de chevaux, de porcs et de poules
- Transformations liées à l'agriculture (boulangeries, biscuiteries, abattoirs, fumoirs, saloirs)
- Fabrication d'outils et de matériaux de construction

SUD
- Sol fertile
- Temps plutôt chaud et humide toute l'année

→
- Culture du tabac, de l'**indigotier**, du coton et du riz sur de grands domaines (plantations)

Le savais-tu ?

De toutes les colonies d'Amérique du Nord, les colonies britanniques du Sud comptent le plus grand nombre d'esclaves d'origine africaine.

▶ La plupart des habitants des Treize Colonies parlent l'anglais et sont de différentes religions. Il y a, par exemple, les presbytériens, les anglicans, les puritains, les quakers, les luthériens et les catholiques.

La guerre de la Conquête

Depuis 150 ans, la France et la Grande-Bretagne ont des conflits en Europe et dans les colonies. En mai 1756, la Grande-Bretagne déclare la guerre à la France. Cette guerre se termine en 1763 par le **traité** de Paris. En fin de compte, la Grande-Bretagne a conquis la Nouvelle-France.

LA STRATÉGIE DES BRITANNIQUES EN 1759-1760

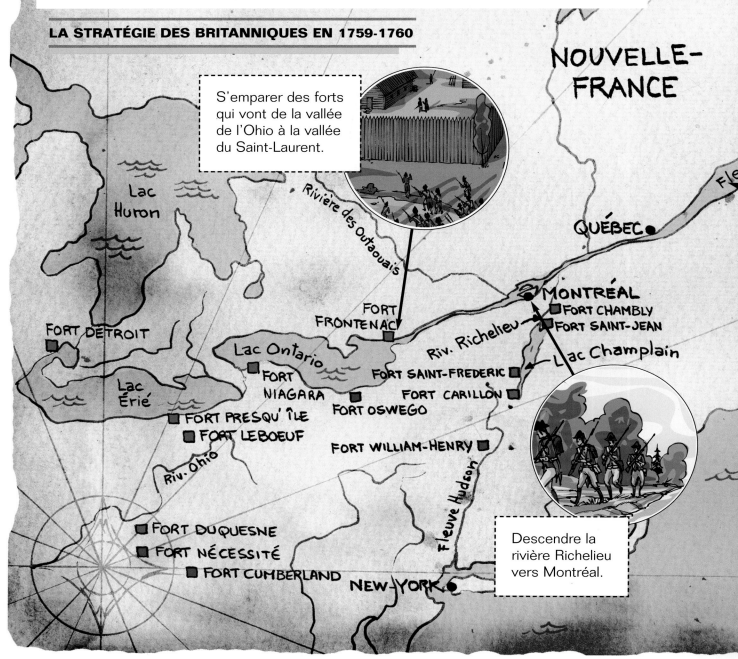

S'emparer des forts qui vont de la vallée de l'Ohio à la vallée du Saint-Laurent.

Descendre la rivière Richelieu vers Montréal.

NOUVELLE-FRANCE

Lac Huron

Rivière des Outaouais

QUÉBEC

FORT DÉTROIT

FORT FRONTENAC

MONTRÉAL
FORT CHAMBLY
FORT SAINT-JEAN

Lac Ontario

Riv. Richelieu

Lac Champlain

FORT NIAGARA

FORT SAINT-FREDERIC

Lac Érié

FORT OSWEGO

FORT CARILLON

FORT PRESQU'ÎLE

FORT LEBOEUF

FORT WILLIAM-HENRY

Riv. Ohio

Fleuve Hudson

FORT DUQUESNE

FORT NÉCESSITÉ

FORT CUMBERLAND

NEW-YORK

▼ Les rivalités franco-britanniques au 18e siècle

1707
On appelle *Grande-Bretagne* l'union de l'Angleterre et de l'Écosse.

1713
L'Acadie, Terre-Neuve et la baie d'Hudson passent à la Grande-Bretagne.

1719
Début de la construction de la forteresse de Louisbourg

1745
Prise de Louisbourg par les Britanniques

1748
Louisbourg et l'île du Cap-Breton redeviennent français.

1700 | 1701

1691   18e siècle   1711   1721   1731   1741

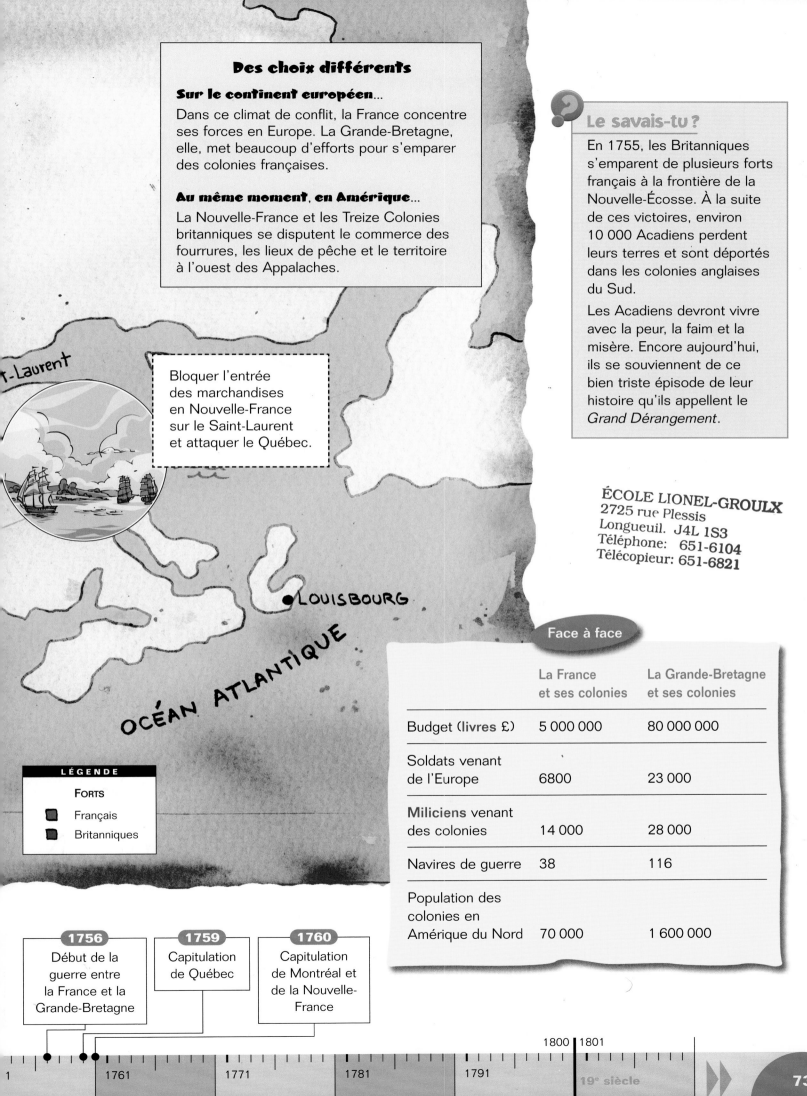

Des choix différents

Sur le continent européen...

Dans ce climat de conflit, la France concentre ses forces en Europe. La Grande-Bretagne, elle, met beaucoup d'efforts pour s'emparer des colonies françaises.

Au même moment, en Amérique...

La Nouvelle-France et les Treize Colonies britanniques se disputent le commerce des fourrures, les lieux de pêche et le territoire à l'ouest des Appalaches.

Bloquer l'entrée des marchandises en Nouvelle-France sur le Saint-Laurent et attaquer le Québec.

t-Laurent

●LOUISBOURG

OCÉAN ATLANTIQUE

LÉGENDE

FORTS

■ Français

◾ Britanniques

ÉCOLE LIONEL-GROULX
2725 rue Plessis
Longueuil. J4L 1S3
Téléphone: 651-6104
Télécopieur: 651-6821

Le savais-tu ?

En 1755, les Britanniques s'emparent de plusieurs forts français à la frontière de la Nouvelle-Écosse. À la suite de ces victoires, environ 10 000 Acadiens perdent leurs terres et sont déportés dans les colonies anglaises du Sud.

Les Acadiens devront vivre avec la peur, la faim et la misère. Encore aujourd'hui, ils se souviennent de ce bien triste épisode de leur histoire qu'ils appellent le *Grand Dérangement*.

Face à face

	La France et ses colonies	La Grande-Bretagne et ses colonies
Budget (livres £)	5 000 000	80 000 000
Soldats venant de l'Europe	6800	23 000
Miliciens venant des colonies	14 000	28 000
Navires de guerre	38	116
Population des colonies en Amérique du Nord	70 000	1 600 000

1756
Début de la guerre entre la France et la Grande-Bretagne

1759
Capitulation de Québec

1760
Capitulation de Montréal et de la Nouvelle-France

1800 | 1801

1 | 1761 | 1771 | 1781 | 1791 | 19ᵉ siècle

De la Nouvelle-France à la Province de Québec

Avec sa victoire, la Grande-Bretagne chasse la France de l'Amérique du Nord. La Nouvelle-France devient la Province de Québec, une nouvelle colonie britannique. L'île Saint-Jean et l'île du Cap-Breton font maintenant partie de la Nouvelle-Écosse. La conquête entraîne des changements importants pour les habitants de l'ancienne colonie française.

LES COLONIES BRITANNIQUES D'AMÉRIQUE DU NORD EN 1763

p. 61 VOIR TERRITOIRE

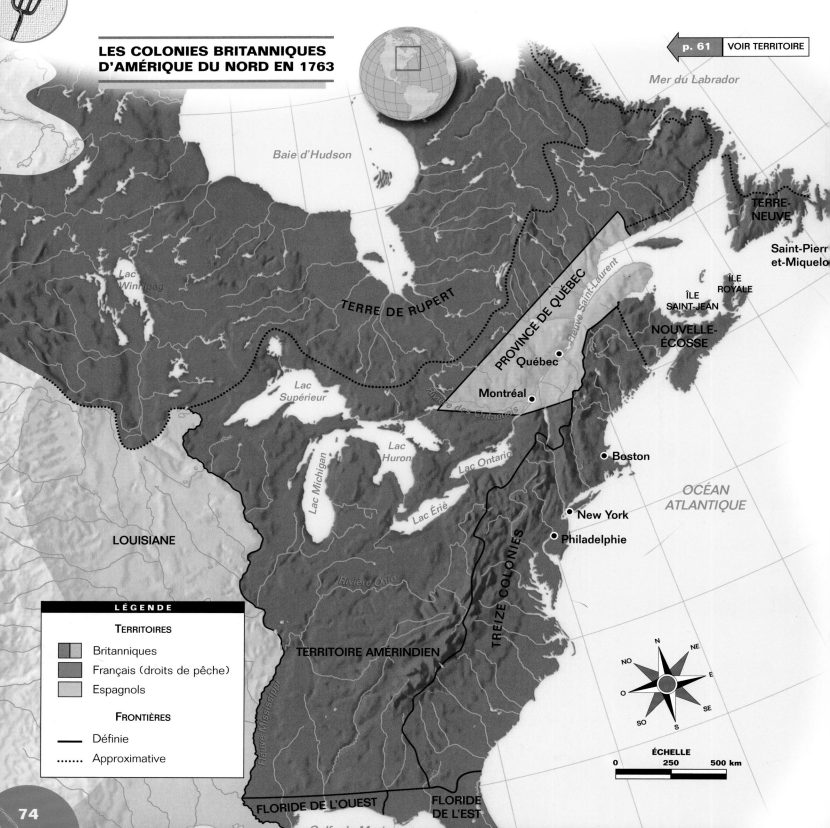

Mer du Labrador

Baie d'Hudson

TERRE-NEUVE

Saint-Pierr et-Miquelo

Lac Winnipeg

TERRE DE RUPERT

PROVINCE DE QUÉBEC

Fleuve Saint-Laurent

ÎLE ROYALE

ÎLE SAINT-JEAN

NOUVELLE-ÉCOSSE

Québec

Montréal

Rivière des Outaouais

Lac Supérieur

Lac Michigan

Lac Huron

Lac Ontario

Lac Érié

Boston

New York

Philadelphie

OCÉAN ATLANTIQUE

LOUISIANE

Rivière Ohio

TREIZE COLONIES

Fleuve Mississippi

TERRITOIRE AMÉRINDIEN

LÉGENDE

TERRITOIRES

Britanniques

Français (droits de pêche)

Espagnols

FRONTIÈRES

── Définie

...... Approximative

FLORIDE DE L'OUEST

FLORIDE DE L'EST

Golfe du Mexi

N NE NO E O SE SO S

ÉCHELLE

0   250   500 km

JAMES MURRAY
(vers 1720-1794)

Les nouveaux dirigeants

Le roi de la Grande-Bretagne fait de James Murray le premier gouverneur de la Province de Québec.

L'éducation et la santé

Les Canadiens ont la permission de pratiquer la religion catholique. Certaines communautés religieuses d'origine française continuent de s'occuper de la santé et de l'éducation. Elles dirigent les écoles, les collèges, les couvents et les hôpitaux.

Le commerce

Des marchands britanniques s'installent à Québec et à Montréal. Ils contrôlent les principales activités économiques, sauf l'agriculture. Les fourrures sont maintenant envoyées en Grande-Bretagne plutôt qu'en France.

La vie sociale et économique

Les Canadiens conservent leurs biens et leurs terres. À Québec et à Montréal, les gens apprennent à vivre avec les administrateurs, les soldats et les marchands britanniques. ▶

Le savais-tu ?

Après la Conquête, le territoire à l'ouest des Appalaches revient aux Amérindiens pour deux raisons :

- S'assurer de la collaboration des Amérindiens, surtout ceux qui étaient **alliés** des Français ;
- Forcer les colons britanniques des colonies du Sud à venir s'installer dans la Province de Québec pour augmenter le nombre d'anglophones.

De nouveaux arrivants dans la Province de Québec

Pendant que la population française essaie de s'adapter aux changements, la colère gronde dans les Treize Colonies. De plus en plus, elles veulent voler de leurs propres ailes. La révolte se transformera en guerre qui aboutira à l'indépendance des Treize Colonies. Les conséquences pour leur population et pour la Province de Québec seront grandes.

LES COLONIES BRITANNIQUES D'AMÉRIQUE DU NORD EN 1774

En 1774, la Grande-Bretagne vote l'Acte de Québec. Cette loi modifie le territoire de la Province de Québec.

On souhaite également éviter que la province se joigne au vent de contestation provenant des Treize Colonies. Pour convaincre les habitants de la Province de Québec de ne pas se révolter, la Grande-Bretagne reconnaît leur religion et les lois françaises.

LÉGENDE

TERRITOIRES

- Britanniques
- Français (droits de pêche)
- Espagnols

FRONTIÈRES

— Définie
...... Approximative

ÉCHELLE
0   250   500 km

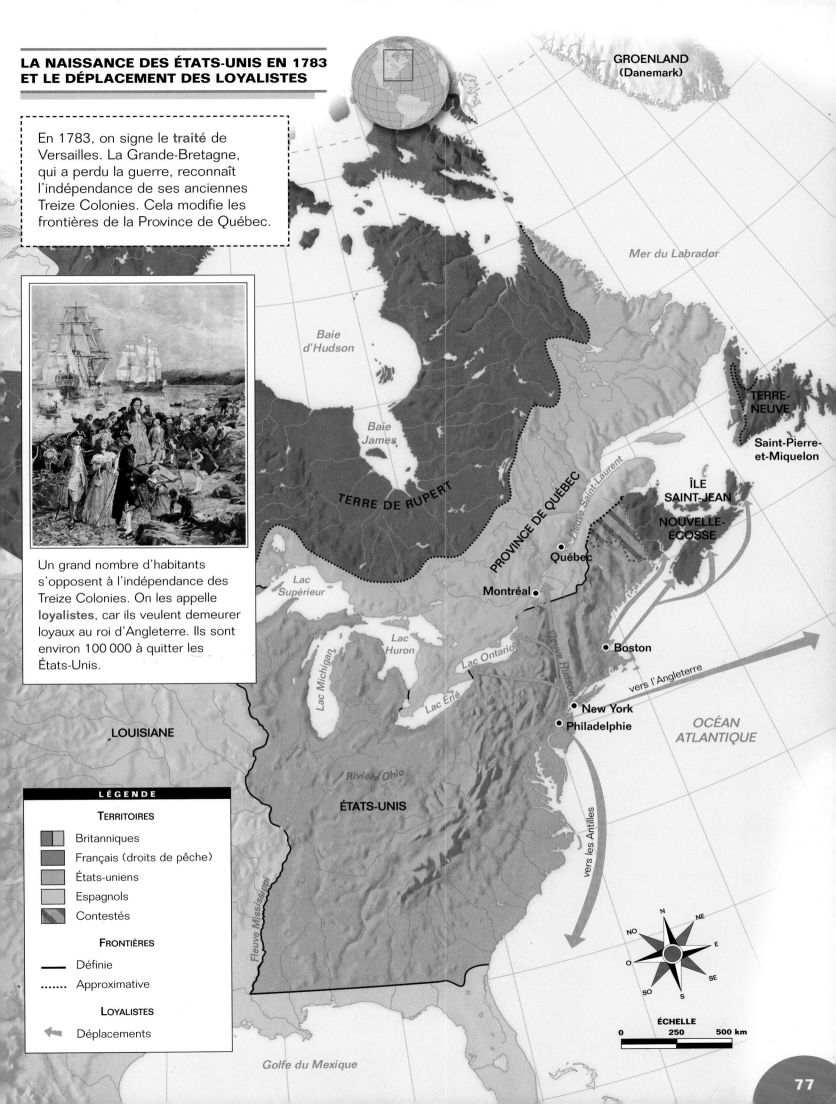

LA NAISSANCE DES ÉTATS-UNIS EN 1783 ET LE DÉPLACEMENT DES LOYALISTES

En 1783, on signe le **traité** de Versailles. La Grande-Bretagne, qui a perdu la guerre, reconnaît l'indépendance de ses anciennes Treize Colonies. Cela modifie les frontières de la Province de Québec.

Un grand nombre d'habitants s'opposent à l'indépendance des Treize Colonies. On les appelle **loyalistes**, car ils veulent demeurer loyaux au roi d'Angleterre. Ils sont environ 100 000 à quitter les États-Unis.

GROENLAND
(Danemark)

Mer du Labrador

Baie d'Hudson

Baie James

TERRE DE RUPERT

TERRE-NEUVE

Saint-Pierre-et-Miquelon

ÎLE SAINT-JEAN

PROVINCE DE QUÉBEC

Fleuve Saint-Laurent

NOUVELLE-ÉCOSSE

Québec

Montréal

Lac Supérieur

Lac Michigan

Lac Huron

Lac Ontario

Lac Érié

Fleuve Hudson

Boston

vers l'Angleterre

New York

Philadelphie

OCÉAN ATLANTIQUE

LOUISIANE

Rivière Ohio

ÉTATS-UNIS

Fleuve Mississippi

vers les Antilles

Golfe du Mexique

LÉGENDE

TERRITOIRES

- Britanniques
- Français (droits de pêche)
- États-uniens
- Espagnols
- Contestés

FRONTIÈRES

- —— Définie
- ...... Approximative

LOYALISTES

- ← Déplacements

ÉCHELLE
0   250   500 km

N
NE
NO
E
O
SE
SO
S

Le Haut-Canada et le Bas-Canada

L'arrivée des **loyalistes** dans la Province de Québec entraîne de nombreux bouleversements. Les loyalistes n'aiment pas être en minorité sur un territoire conquis par la Grande-Bretagne. Ils sont convaincus que leur fidélité au roi devrait leur donner certains privilèges. En 1791, le roi de Grande-Bretagne tente de satisfaire ses **sujets** en divisant la Province de Québec en deux. C'est l'Acte constitutionnel et la naissance du Bas-Canada et du Haut-Canada.

LES COLONIES BRITANNIQUES DE L'AMÉRIQUE DU NORD EN 1791

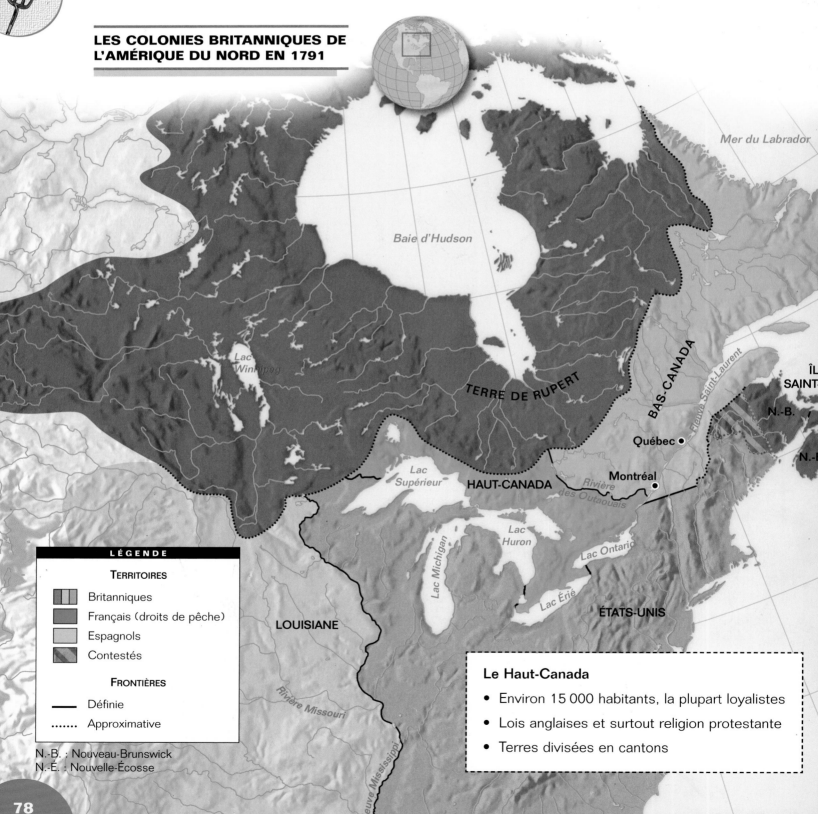

Mer du Labrador

Baie d'Hudson

Lac Winnipeg

TERRE DE RUPERT

BAS-CANADA

Fleuve Saint-Laurent

ÎLE SAINT-

N.-B.

Québec

N.-É

Lac Supérieur

HAUT-CANADA

Montréal

Rivière des Outaouais

Lac Michigan

Lac Huron

Lac Ontario

Lac Érié

ÉTATS-UNIS

LOUISIANE

Rivière Missouri

Fleuve Mississippi

LÉGENDE

TERRITOIRES

Britanniques

Français (droits de pêche)

Espagnols

Contestés

FRONTIÈRES

—— Définie

...... Approximative

N.-B. : Nouveau-Brunswick
N.-É. : Nouvelle-Écosse

Le Haut-Canada

- Environ 15 000 habitants, la plupart loyalistes
- Lois anglaises et surtout religion protestante
- Terres divisées en cantons

Selon l'Acte constitutionnel de 1791, c'est en Grande-Bretagne qu'on nomme le gouverneur du Bas-Canada. Le gouverneur est le véritable chef qui rejette ou accepte les lois. Le Conseil législatif (qui vote les lois) et le Conseil exécutif (qui applique les lois) l'assistent. Ce sont surtout des gens d'origine britannique qui font partie de ces deux conseils. La Chambre d'assemblée, dont les députés sont élus par la population, soumet les projets de lois. On appelle cette organisation politique le *régime parlementaire représentatif*.

Le Bas-Canada

- Environ 155 000 habitants, dont 10 000 d'origine britannique
- Lois civiles françaises et surtout religion catholique
- Vieilles seigneuries et nouvelles terres divisées en cantons

TERRE-NEUVE

Saint-Pierre-et-Miquelon

p. 71 ◀ VOIR MODE DE GOUVERNEMENT

OCÉAN ATLANTIQUE

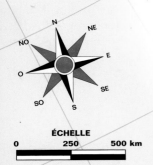

N
NE
NO
E
O
SE
SO
S

ÉCHELLE

0   250   500 km

Le mode de gouvernement du Bas-Canada (1791)

GRANDE-BRETAGNE

Roi

BAS-CANADA

Gouverneur
- Nommé par le roi.
- Responsable de la colonie.
- Peut rejeter des lois.

Conseil législatif
- Membres nommés par le gouverneur.
- Vote les lois et peut bloquer celles proposées par la Chambre d'assemblée.

Conseil exécutif
- Membres nommés par le gouverneur.
- Applique les lois.
- Peut rejeter des lois.

Chambre d'assemblée
- Membres (députés) élus par le peuple.
- Vote les lois.

Peuple
- Seuls les propriétaires les plus riches ont le droit de vote.

La Chambre d'assemblée du Bas-Canada est composée de députés qui représentent le peuple. Ils sont élus pour la première fois dans le Bas-Canada en 1792.

19e siècle

Le 19e siècle en bref

La société canadienne se transforme tout au long du siècle. Son territoire s'agrandit. C'est pourquoi on améliore les moyens de transport et les voies de communication. L'économie est de plus en plus variée et la population augmente. Enfin, l'année 1867 marque un changement dans les relations avec la Grande-Bretagne.

1806
La Grande-Bretagne doit affronter le **blocus** de Napoléon. Elle se tourne alors vers ses colonies d'Amérique du Nord pour s'approvisionner en bois.

Des centaines de milliers d'immigrants quittent la Grande-Bretagne pour s'installer principalement dans le Haut-Canada.
Voir p. 90

1840
La reine Victoria autorise l'union du Haut-Canada et du Bas-Canada. On parle maintenant du Canada-Uni.
Voir p. 90

1791 1800 **1801** 19e siècle 1811 1821 1831

L'agriculture devient plus importante. Les nouvelles terres sont divisées en cantons.
Voir p. 82

De petites industries artisanales, telles que les scieries, les forges et les fabriques de tonneaux, se développent.
Voir p. 84

Au début du siècle, l'exploitation forestière se développe dans le Haut-Canada et le Bas-Canada.
Voir p. 84

Dans la première moitié du siècle, les villes et les villages se multiplient. De plus, on construit des routes, des ponts et des canaux pour favoriser le commerce. Quelques modestes chemins de fer font leur apparition.
Voir p. 86 et 88

1837-1838
Dans le Bas-Canada, des Canadiens français se révoltent pour défendre leurs droits.
Voir p. 90

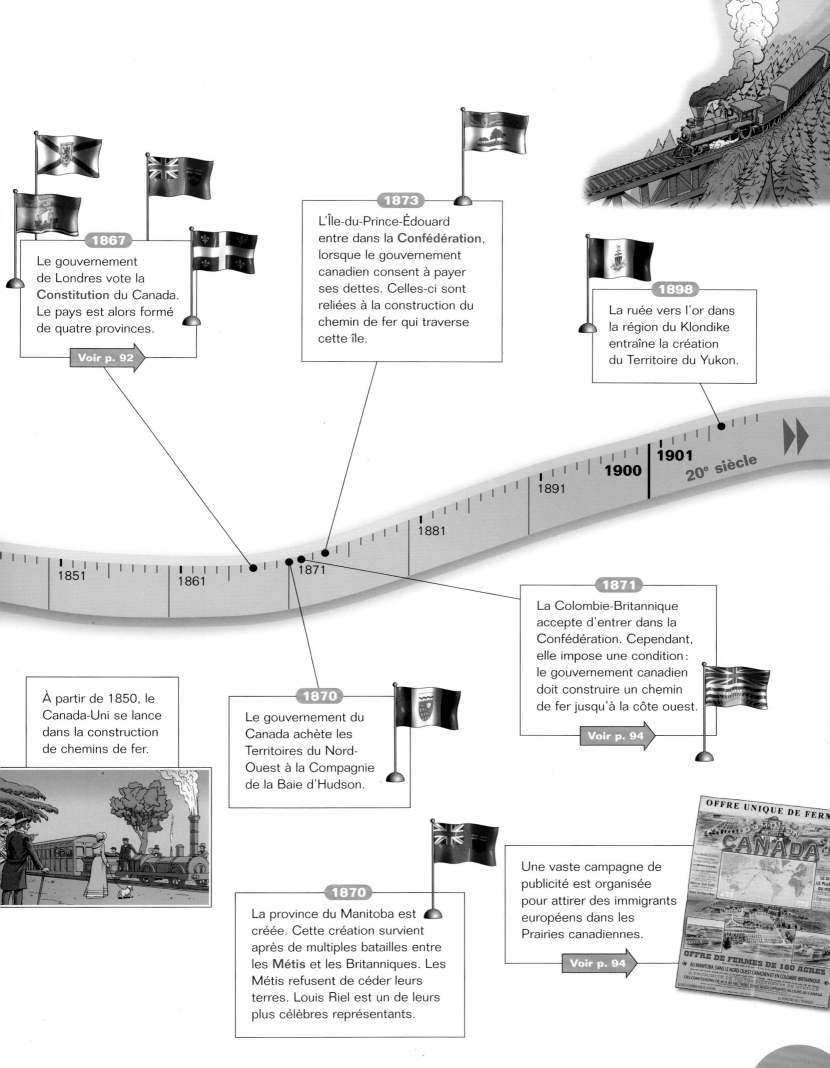

1867
Le gouvernement de Londres vote la **Constitution** du Canada. Le pays est alors formé de quatre provinces.

Voir p. 92

1873
L'Île-du-Prince-Édouard entre dans la **Confédération**, lorsque le gouvernement canadien consent à payer ses dettes. Celles-ci sont reliées à la construction du chemin de fer qui traverse cette île.

1898
La ruée vers l'or dans la région du Klondike entraîne la création du Territoire du Yukon.

1851 1861 1871 1881 1891 **1900** **1901** 20ᵉ siècle

À partir de 1850, le Canada-Uni se lance dans la construction de chemins de fer.

1870
Le gouvernement du Canada achète les Territoires du Nord-Ouest à la Compagnie de la Baie d'Hudson.

1871
La Colombie-Britannique accepte d'entrer dans la Confédération. Cependant, elle impose une condition : le gouvernement canadien doit construire un chemin de fer jusqu'à la côte ouest.

Voir p. 94

1870
La province du Manitoba est créée. Cette création survient après de multiples batailles entre les **Métis** et les Britanniques. Les Métis refusent de céder leurs terres. Louis Riel est un de leurs plus célèbres représentants.

Une vaste campagne de publicité est organisée pour attirer des immigrants européens dans les Prairies canadiennes.

Voir p. 94

OFFRE UNIQUE DE FERM[...]
DOMINION CANADA
OFFRE DE FERMES DE 160 ACRES

Le territoire canadien vers 1820

La société canadienne de 1820 occupe un territoire de plus en plus vaste dans la vallée du Saint-Laurent et autour des Grands Lacs. Ses habitants transforment cet espace en exploitant surtout la forêt pour le commerce du bois. Ils profitent aussi d'autres **atouts** comme la fertilité des sols et un relief favorable pour développer une agriculture commerciale.

LE TERRITOIRE CANADIEN EN 1823

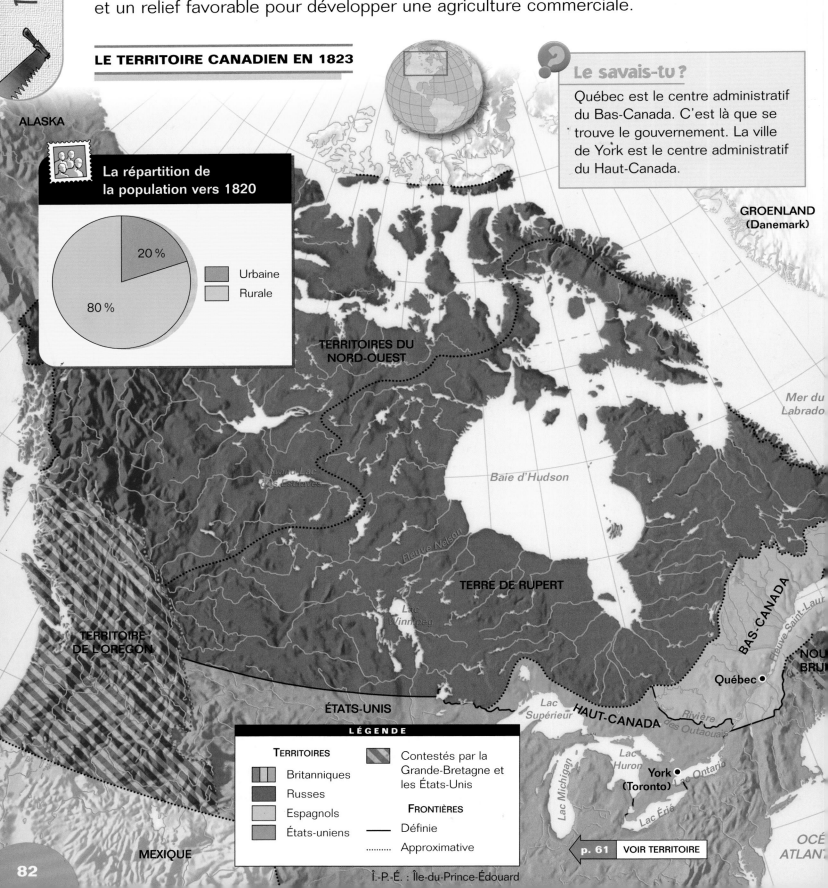

La répartition de la population vers 1820

20 %
80 %

Urbaine
Rurale

ALASKA

GROENLAND
(Danemark)

TERRITOIRES DU NORD-OUEST

Mer du Labrado

Grand Lac des Esclaves

Baie d'Hudson

TERRE DE RUPERT

Lac Winnipeg

TERRITOIRE DE L'OREGON

Fleuve Nelson

BAS-CANADA

Fleuve Saint-Laur

Québec

ÉTATS-UNIS

Lac Supérieur

HAUT-CANADA

Rivière des Outaouais

NOU
BRUI

Lac Huron

York (Toronto)

Lac Ontario

Lac Michigan

Lac Érié

MEXIQUE

OCÉ
ATLANT

Le savais-tu ?

Québec est le centre administratif du Bas-Canada. C'est là que se trouve le gouvernement. La ville de York est le centre administratif du Haut-Canada.

LÉGENDE

TERRITOIRES

Britanniques

Russes

Espagnols

États-uniens

Contestés par la Grande-Bretagne et les États-Unis

FRONTIÈRES

—— Définie

·········· Approximative

p. 61 VOIR TERRITOIRE

Î.-P.-É. : Île-du-Prince-Édouard

LES ZONES DE PEUPLEMENT DES DEUX CANADAS EN 1823

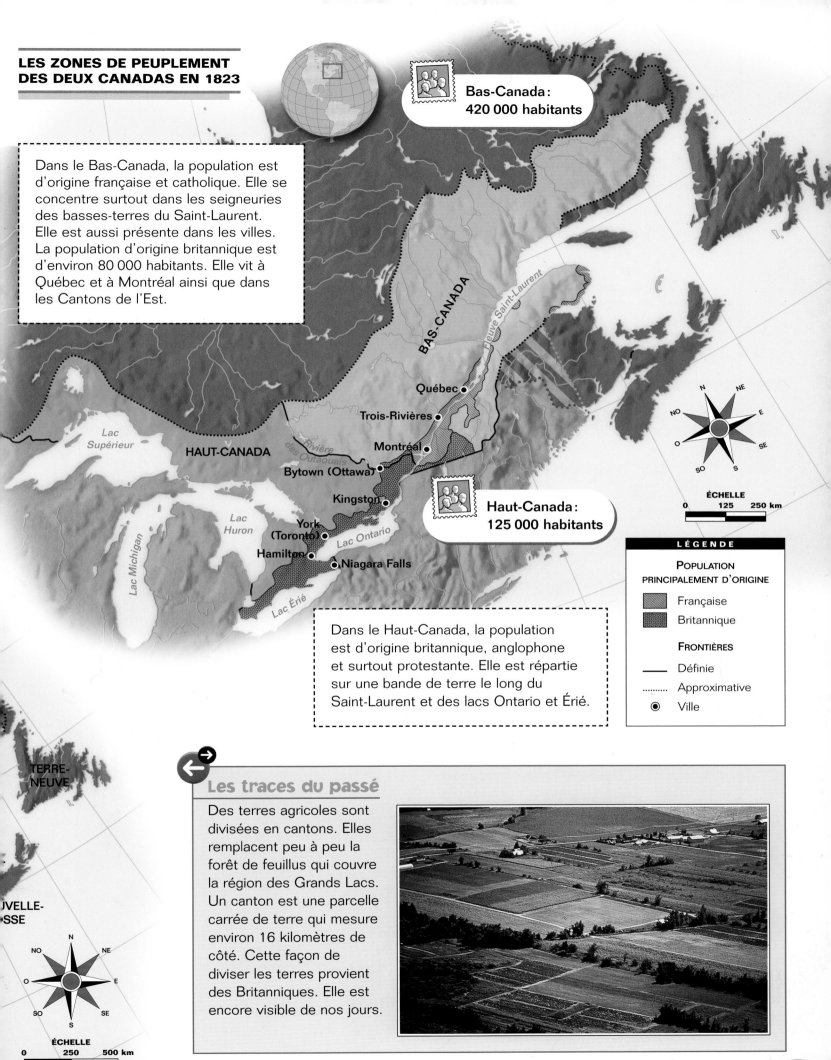

Bas-Canada :
420 000 habitants

Dans le Bas-Canada, la population est d'origine française et catholique. Elle se concentre surtout dans les seigneuries des basses-terres du Saint-Laurent. Elle est aussi présente dans les villes. La population d'origine britannique est d'environ 80 000 habitants. Elle vit à Québec et à Montréal ainsi que dans les Cantons de l'Est.

BAS-CANADA

Fleuve Saint-Laurent

Québec

Trois-Rivières

Montréal

Rivière des Outaouais

HAUT-CANADA

Bytown (Ottawa)

Kingston

York (Toronto)

Hamilton

Niagara Falls

Lac Supérieur

Lac Huron

Lac Michigan

Lac Ontario

Lac Érié

Haut-Canada :
125 000 habitants

Dans le Haut-Canada, la population est d'origine britannique, anglophone et surtout protestante. Elle est répartie sur une bande de terre le long du Saint-Laurent et des lacs Ontario et Érié.

ÉCHELLE
0   125   250 km

LÉGENDE

POPULATION PRINCIPALEMENT D'ORIGINE

Française

Britannique

FRONTIÈRES

—— Définie

.... Approximative

⊙ Ville

TERRE-NEUVE

NOUVELLE-ÉCOSSE

ÉCHELLE
0   250   500 km

Les traces du passé

Des terres agricoles sont divisées en cantons. Elles remplacent peu à peu la forêt de feuillus qui couvre la région des Grands Lacs. Un canton est une parcelle carrée de terre qui mesure environ 16 kilomètres de côté. Cette façon de diviser les terres provient des Britanniques. Elle est encore visible de nos jours.

Les activités économiques des Canadas vers 1820

Au début du siècle, la société canadienne délaisse le commerce des fourrures pour l'exploitation de la forêt et le développement de l'agriculture. Maintenant, les habitants ne cultivent plus seulement pour se nourrir, mais aussi pour vendre leurs produits. De petites industries artisanales voient le jour. Elles comblent les besoins de plus en plus variés d'une population grandissante.

LES PRINCIPALES ACTIVITÉS ÉCONOMIQUES DES CANADAS EN 1823

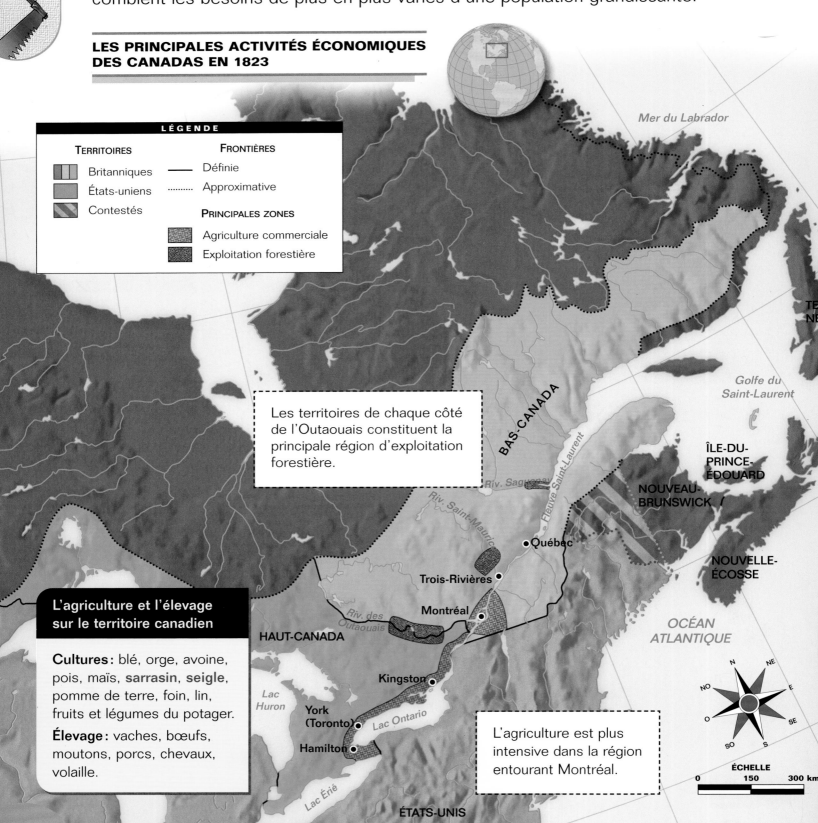

LÉGENDE

TERRITOIRES
- Britanniques
- États-uniens
- Contestés

FRONTIÈRES
- —— Définie
- ·········· Approximative

PRINCIPALES ZONES
- Agriculture commerciale
- Exploitation forestière

Mer du Labrador

Golfe du Saint-Laurent

ÎLE-DU-PRINCE-ÉDOUARD

NOUVEAU-BRUNSWICK

NOUVELLE-ÉCOSSE

OCÉAN ATLANTIQUE

BAS-CANADA

HAUT-CANADA

ÉTATS-UNIS

Riv. Saguenay
Riv. Saint-Maurice
Fleuve Saint-Laurent
Riv. des Outaouais
Québec
Trois-Rivières
Montréal
Kingston
York (Toronto)
Hamilton
Lac Huron
Lac Ontario
Lac Érié

Les territoires de chaque côté de l'Outaouais constituent la principale région d'exploitation forestière.

L'agriculture est plus intensive dans la région entourant Montréal.

L'agriculture et l'élevage sur le territoire canadien

Cultures : blé, orge, avoine, pois, maïs, **sarrasin**, **seigle**, pomme de terre, foin, lin, fruits et légumes du potager.

Élevage : vaches, bœufs, moutons, porcs, chevaux, volaille.

ÉCHELLE
0   150   300 km

Le savais-tu ?

Au début du siècle, la France et la Grande-Bretagne entrent en guerre. En 1806, Napoléon 1er, empereur des Français, bloque le commerce du bois entre l'Europe et les îles britanniques. La Grande-Bretagne décide alors d'acheter le bois de ses colonies en Amérique, dont celui du Haut-Canada et du Bas-Canada.

▲ À partir de cette époque, Montréal prend de l'importance sur le plan économique. La ville se spécialise dans le transport des marchandises vers le Haut-Canada. Montréal devient aussi la plaque tournante de la haute finance et de l'industrie.

Les exportations des deux Canadas vers 1820

10%

15%

75%

- Fourrures
- Autres
- Bois

De la forêt jusqu'au port de Québec, le bois est transporté par les cours d'eau. Les bûcherons assemblent les billots en radeaux. On appelle ces radeaux des cages. Les hommes qui dirigent ces cages sont appelés des **cageux**. Rendu à Québec, le bois est embarqué dans des bateaux pour la Grande-Bretagne. ▶

La scierie est une des industries ▶ artisanales du début du 19e siècle. La fabrique de chaises et de tonneaux, le moulin à farine, la forge et la boulangerie sont d'autres exemples d'industries artisanales de cette époque.

p. 66 | VOIR COMMERCE

Le développement des moyens de transport

Dans la première moitié du siècle, la société canadienne connaît d'importants progrès dans le domaine des transports et des communications. En effet, on met sur pied un service postal. De plus, on construit des canaux et les premiers chemins de fer. Enfin, on introduit la navigation à vapeur.

LES VOIES DE COMMUNICATION DANS LES COLONIES BRITANNIQUES VERS 1830

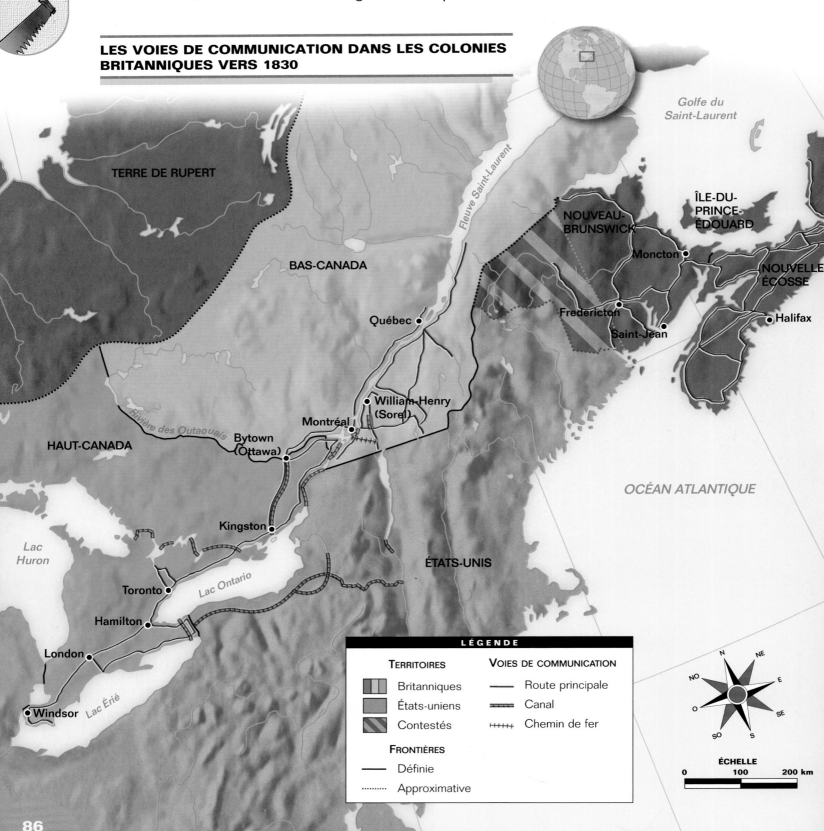

LÉGENDE

TERRITOIRES

- Britanniques
- États-uniens
- Contestés

FRONTIÈRES

- Définie
- Approximative

VOIES DE COMMUNICATION

- Route principale
- Canal
- Chemin de fer

ÉCHELLE

0   100   200 km

Sur terre

Les routes et les ponts se multiplient. Selon les saisons, des **diligences** ou des **carrioles** transportent les voyageurs et le courrier.

▲ La première voie ferrée est inaugurée en 1836. Elle relie La Prairie, sur le Saint-Laurent, à Saint-Jean, sur le Richelieu. De nombreuses autres voies ferrées seront construites dans les **décennies** suivantes.

Sur l'eau

◄ En 1809, John Molson fait bâtir l'*Accommodation*. C'est le premier bateau à vapeur à naviguer sur le Saint-Laurent. Il met 66 heures pour se rendre de Montréal à Québec.

◄ Après 1825, le canal Lachine, situé à Montréal, permet de contourner les rapides du Sault-Saint-Louis sur le fleuve Saint-Laurent.

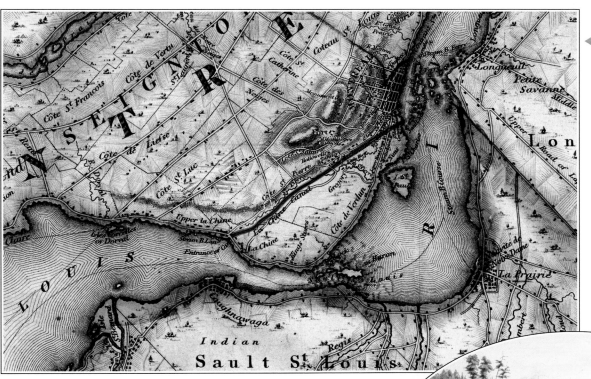

On construit plusieurs canaux et **écluses** afin de faciliter le passage des bateaux jusqu'aux ports de Québec ou de Montréal. Ces nouvelles constructions permettent d'éviter les obstacles sur les principales voies de navigation.

La vie dans les deux Canadas vers 1820

Vers 1820, plusieurs facteurs expliquent les différents modes de vie des habitants des deux Canadas. Les plus importants sont : être riche ou pauvre, vivre à la ville ou à la campagne et être d'origine française ou britannique. À cette époque, la majorité de la population vit à la campagne.

La vie à la campagne

Dans le Bas-Canada, des fermes sont construites dans les cantons.

Dans le Haut-Canada, les nouvelles terres permettent une agriculture prospère basée sur le blé.

Le savais-tu ?

Au début du siècle, les villages se multiplient dans le Bas-Canada. Ils sont situés autour des grandes villes et le long des principaux cours d'eau. La population des villages varie d'environ 100 à un peu plus de 1000 habitants. Vers 1830, environ 50 000 personnes vivent dans des villages.

Le village de William-Henry prend le nom de Sorel en 1860.

▼ **Des inventions importantes de l'époque**

1801	1810	1826	1830	1837	1842
Rail et chemin de fer	Boîte de conserve	Photographie	Machine à coudre	Télégraphe électrique	Anesthésie

1800 | 1801

1791   19ᵉ siècle   1811   1821   1831   1841

La vie à la ville

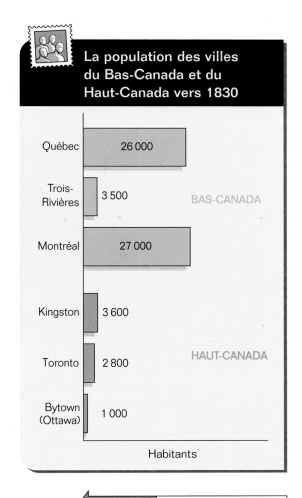

▲ Première ville des Canadas, Québec est un centre administratif et économique important. C'est là que se trouve le gouvernement. La ville possède des quartiers riches où habite la classe dirigeante, surtout anglophone.

▲ Les ouvriers et les artisans des métiers du bois et de la construction de bateaux vivent dans les **faubourgs**.

▲ Comme dans toutes les villes du 19ᵉ siècle, les gens ont l'habitude d'aller chercher leur nourriture fraîche dans un marché public.

La population des villes du Bas-Canada et du Haut-Canada vers 1830

Ville	Habitants	
Québec	26 000	BAS-CANADA
Trois-Rivières	3 500	
Montréal	27 000	
Kingston	3 600	HAUT-CANADA
Toronto	2 800	
Bytown (Ottawa)	1 000	

Habitants

p. 62 et 64 ◀ VOIR VILLE ET CAMPAGNE

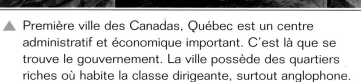

1864 Pasteurisation

1875 Téléphone

1876 Réfrigération

1881 Centrale électrique

1885 Automobile

1895 Télégraphe sans fil

1900 | 1901

1861   1871   1881   1891

20ᵉ siècle

Des bouleversements vers le milieu du siècle

Au début des années 1830, une partie des habitants du Haut-Canada et du Bas-Canada réclament plus de **démocratie**. Malgré l'existence de chambres d'assemblée, le pouvoir est alors dans les mains du gouverneur général et des marchands. Au Bas-Canada, le mécontentement s'explique aussi par le rapport de force entre les Canadiens français et les Britanniques.

p. 79 VOIR MODE DE GOUVERNEMENT

En 1837 et 1838, des hommes du Parti patriote combattent les soldats britanniques. Ces combats ont lieu dans la région du lac des Deux-Montagnes et dans la vallée du Richelieu. Les rebelles, presque tous des francophones, sont battus.

Louis-Joseph Papineau est le chef du Parti patriote. Ce parti défend les intérêts des Canadiens français et fait de nombreuses **revendications**.

Le milieu du 19e siècle est une période de forte **immigration** des Britanniques vers l'Amérique du Nord. Près d'un million d'immigrants anglais, écossais et irlandais s'installent dans les colonies britanniques. La plupart d'entre eux s'établissent dans le Haut-Canada (Canada-Ouest). Ils sont attirés par l'abondance des terres agricoles.

L'évolution de la population des deux Canadas et du Canada-Uni (1814-1851)

Habitants

1 000 000
800 000
600 000
400 000
200 000
0

1811   1821   1831   1841   1851

Année

— Bas-Canada ou Canada-Est
— Haut-Canada ou Canada-Ouest

LE CANADA-UNI VERS 1840

En 1838, Lord Durham est envoyé par Londres. Il propose d'unir les deux Canadas. Il veut placer les Canadiens français en minorité et mettre ainsi fin à leurs revendications. En 1840, l'Acte d'Union réunit le Haut-Canada et le Bas-Canada sous le nom de Canada-Uni.

Le savais-tu ?

Au milieu du 19e siècle, Montréal compte 57 715 personnes. Parmi elles, 52 % sont francophones et 45 % sont anglophones. À Québec, c'est plutôt l'inverse. La population est de 42 052 personnes. Il y a 58 % de francophones et 36 % d'anglophones.

▼ Parmi les immigrants britanniques, beaucoup d'Irlandais s'installent à Québec, à Montréal et dans les Cantons de l'Est.

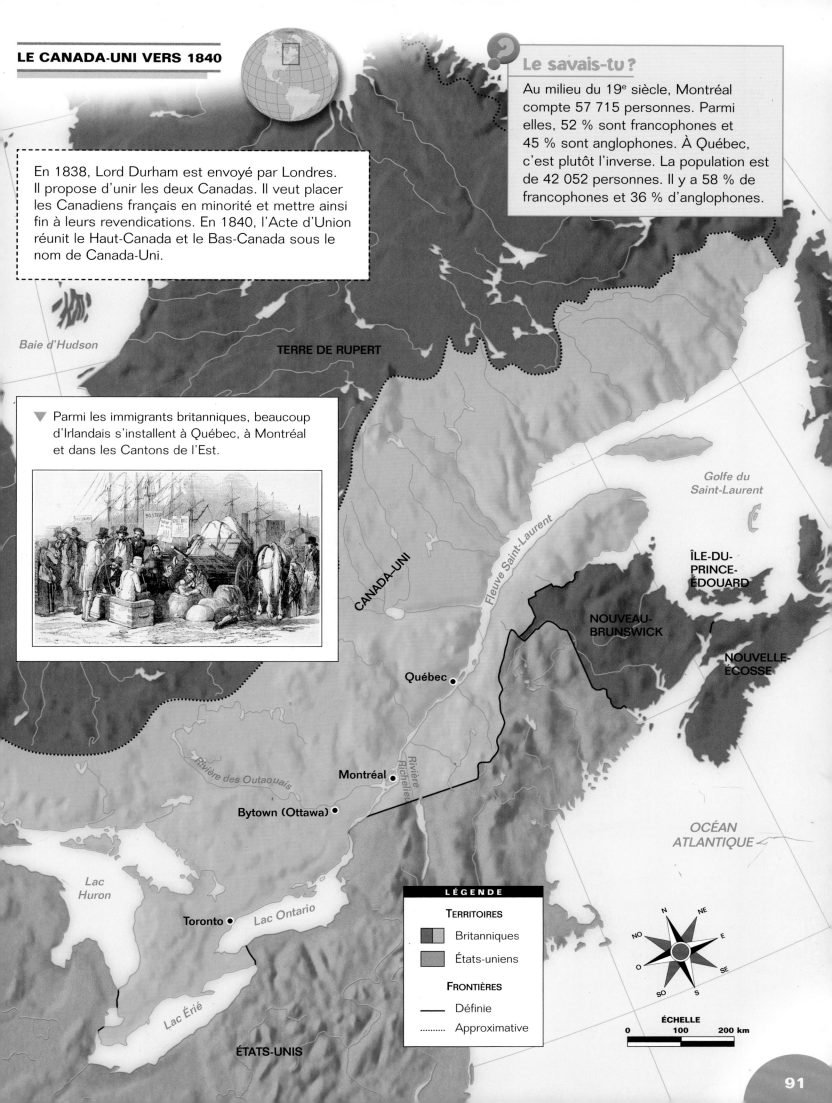

Baie d'Hudson

TERRE DE RUPERT

Golfe du Saint-Laurent

ÎLE-DU-PRINCE-ÉDOUARD

CANADA-UNI

Fleuve Saint-Laurent

NOUVEAU-BRUNSWICK

NOUVELLE-ÉCOSSE

Québec ●

OCÉAN ATLANTIQUE

Rivière des Outaouais

Montréal ●

Rivière Richelieu

Bytown (Ottawa) ●

Lac Huron

Toronto ●

Lac Ontario

LÉGENDE

TERRITOIRES

Britanniques

États-uniens

FRONTIÈRES

—— Définie

.... Approximative

N NE
NO E
O SE
SO S

Lac Érié

ÉTATS-UNIS

ÉCHELLE

0   100   200 km

La naissance du Canada moderne

Au début des années 1860, l'organisation politique du Canada-Uni et des autres colonies britanniques d'Amérique du Nord doit être modifiée. Après d'importantes discussions, les dirigeants de ces colonies et la Grande-Bretagne s'entendent pour créer un nouveau pays : le Canada.

LE CANADA EN 1867

La **Constitution** du Canada devient officielle le 1er juillet 1867. Le nouveau pays réunit quatre provinces.

OCÉAN ARCTIQUE

ALASKA (États-Unis)

GROENLAND (Danemark)

TERRITOIRES DU NORD-OUEST

OCÉAN ATLANTIQUE

COLOMBIE BRITANNIQUE

Baie d'Hudson

TERRE DE RUPERT

• Victoria

QUÉBEC

Î.-P.-É.

N.-B.

Québec

N.-É.

Lac Supérieur

ONTARIO

Montréal

Ottawa

Lac Huron

ÉTATS-UNIS

Lac Michigan

Toronto

Lac Ontario

Lac Érié

LÉGENDE

Province canadienne

Colonie de la Couronne britannique

FRONTIÈRES

─ ∙ ─ ∙ Internationale

─── Intérieure

∙∙∙∙∙∙∙∙ Approximative

+++++ Chemin de fer du Grand Tronc

Î.-P.-É. : Île-du-Prince-Édouard
N.-B. : Nouveau-Brunswick
N.-É. : Nouvelle-Écosse

N
NO   NE
O   E
SO   SE
S

ÉCHELLE
0   250   500

Les PROBLÈMES des colonies britanniques entre 1864 et 1867	Les SOLUTIONS apportées par la Confédération en 1867
Le Canada-Uni est difficile à gouverner. La population du Canada-Ouest (56 %) réclame plus de députés. En effet, elle est maintenant plus nombreuse que la population du Canada-Est (44 %).	Le pouvoir est partagé entre deux niveaux de gouvernement : le gouvernement central du Canada et les gouvernements des provinces. C'est la **Confédération**.
La **prospérité** des 10 dernières années est menacée. En effet, l'économie des colonies britanniques repose sur l'exportation du blé, du bois et des produits de la pêche. Les États-Unis, principal acheteur de leurs produits, refusent de renouveler leur accord commercial.	Les provinces réunies constituent un marché plus étendu pour écouler leurs produits.
Les colonies britanniques ne disposent pas d'un réseau de transport organisé. Elles peuvent difficilement faire transporter des marchandises d'ouest en est, hiver comme été, jusqu'à un port canadien.	Le gouvernement central **subventionne** la construction des chemins de fer pour relier les provinces entre elles.
La Grande-Bretagne exige que les colonies participent davantage à la défense de leur territoire. Les Américains menacent d'envahir les colonies britanniques.	La Confédération fournit des ressources au gouvernement central pour assurer la défense du territoire.

Le mode de gouvernement du Canada (1867)

GRANDE-BRETAGNE

Reine

CANADA

Gouverneur général
• Représente le roi ou la reine

Premier ministre et Conseil des ministres (cabinet)
• Ministres choisis par le premier ministre (chef de gouvernement élu) parmi des députés élus.
• Préparent les lois à débattre à la Chambre des communes
• Appliquent les lois.

PARLEMENT

Sénat
• Membres nommés à vie selon l'avis du conseil des ministres.
• Vote les lois approuvées par la Chambre des communes ; peut les modifier ou les rejeter.
• Peut proposer d'autres lois.

Chambre des communes
• Membres élus (députés) par le peuple au moins tous les 5 ans.
• Vote les lois.

Peuple du Canada
• Seuls les propriétaires (environ 1 personne sur 10) ont le droit de vote. Les femmes et les Autochtones ne peuvent pas voter.

p. 79 VOIR MODE DE GOUVERNEMENT

Le Canada à la fin du siècle

Plusieurs changements dans l'organisation du territoire canadien marquent la fin du 19ᵉ siècle. L'ajout de nouvelles provinces, la colonisation de l'Ouest et la construction du chemin de fer d'un **océan** à l'autre sont les changements les plus importants.

LE CANADA EN 1898

As-tu remarqué ?

Un chemin de fer traverse le Canada d'un océan à l'autre. Le gouvernement central a donc respecté la promesse faite à la Colombie-Britannique en échange de son entrée dans la **Confédération** canadienne. Le premier train de passagers arrive à Vancouver le 23 mai 1887.

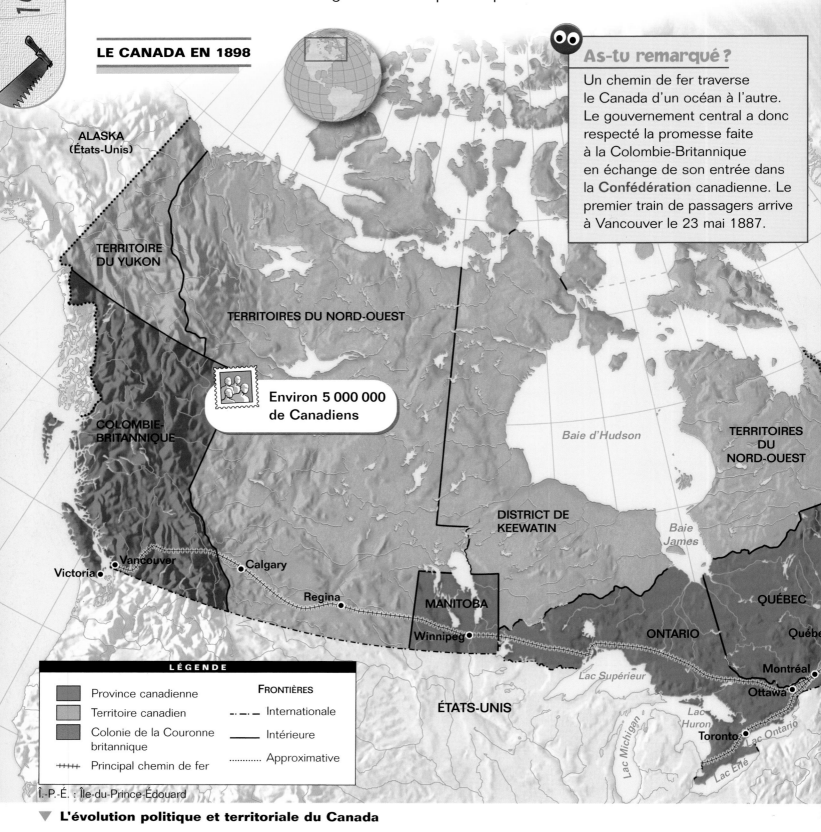

ALASKA (États-Unis)

TERRITOIRE DU YUKON

TERRITOIRES DU NORD-OUEST

Environ 5 000 000 de Canadiens

COLOMBIE-BRITANNIQUE

Baie d'Hudson

TERRITOIRES DU NORD-OUEST

DISTRICT DE KEEWATIN

Baie James

Vancouver
Victoria
Calgary
Regina
MANITOBA
Winnipeg

QUÉBEC

ONTARIO

Québec

Montréal

Ottawa

Lac Supérieur

ÉTATS-UNIS

Lac Huron

Lac Michigan

Toronto

Lac Ontario

Lac Érié

LÉGENDE

Province canadienne	
Territoire canadien	
Colonie de la Couronne britannique	
++++ Principal chemin de fer	

FRONTIÈRES

–·–· Internationale

—— Intérieure

·········· Approximative

Î.-P.-É. : Île-du-Prince-Édouard

▼ **L'évolution politique et territoriale du Canada**

1800 | 1801

1791   19ᵉ siècle   1811   1821   1831   1841

La population par province ou territoire en 1891

Provinces ou territoires	Habitants
• Île-du-Prince-Édouard	109 000
• Nouvelle-Écosse	450 000
• Nouveau-Brunswick	321 000
• Québec	1 489 000
• Ontario	2 114 000
• Manitoba	153 000
• Colombie-Britannique	98 000
• Territoires du Nord-Ouest	99 000

(incluant le futur territoire du Yukon)

Les traces du passé

Dans les provinces de l'Ouest, le nom de certaines localités a une origine reliée à la venue d'immigrants d'Europe du Nord et de l'Ouest. Par exemple, Armena, Bardo et Vallhala, situés au nord de l'Alberta, sont des noms d'origine scandinave. Josephburg en Alberta et Scandinavia au Manitoba sont des noms d'origine allemande.

Scandinavia 21

Le savais-tu ?

Vers la fin du 19e siècle, environ 100 000 Amérindiens vivent au Canada. Dans l'Ouest, le gouvernement fédéral signe des **traités** avec les Amérindiens pour préparer la **colonisation**. Ces traités leur accordent des terres de **réserves**. Ils leur offrent aussi de l'argent en échange de l'abandon de certains de leurs droits, par exemple des droits **ancestraux** de pêche et de chasse sur certains des territoires.

OFFRE UNIQUE DE FERMES

DOMINION DU CANADA

LE CLIMAT LE PLUS SAIN DU MONDE

OFFRE DE FERMES DE 160 ACRES

AU MANITOBA, DANS LE NORD-OUEST CANADIEN ET EN COLOMBIE-BRITANNIQUE

DES CONCESSIONS DE 40 À 80 HECTARES SONT AUSSI OFFERTES AILLEURS AU CANADA

LE HAUT-COMMISSAIRE DU CANADA   LE MINISTÈRE DE L'INTÉRIEUR

ENLAND
(emark)

TERRE-NEUVE

Î.-P.-É.

OUVEAU-UNSWICK

t-John • NOUVELLE-ÉCOSSE
• Halifax

N
NO — NE
O — E
SO — SE
S

ÉCHELLE
0   250   500 km

Le gouvernement veut peupler les Prairies canadiennes qui s'étendent du Manitoba à la frontière de la Colombie-Britannique. Pour cela, il organise une vaste campagne de publicité pour attirer des immigrants d'Europe.

1867	**1870**	**1871**	**1873**	**1898**
Nouveau-Brunswick, Nouvelle-Écosse, Ontario, Québec	Manitoba, Territoires du Nord-Ouest	Colombie-Britannique	Île-du-Prince-Édouard	Territoire du Yukon

1900   1901

1861   1871   1881   1891   20e siècle

20ᵉ siècle

Le 20ᵉ siècle en bref

Au début du 20ᵉ siècle, l'Ouest du Canada se peuple et se développe autour de l'exploitation des richesses naturelles. Le Québec, quant à lui, continue de s'industrialiser et d'accroître son potentiel énergétique. Dans la seconde moitié du 20ᵉ siècle, le Canada devient une société moderne et de plus en plus démocratique. Vers la fin du siècle, les sociétés autochtones du Québec et du Canada obtiennent enfin la reconnaissance de certains droits **ancestraux**.

1939-1945
Seconde Guerre mondiale

1929
Crise boursière à New York

1914-1918
Première Guerre mondiale

1905
Création des provinces de la Saskatchewan et de l'Alberta

Voir p. 98

1891 · 1900 · **1901** · 20ᵉ siècle · 1911 · 1921 · 1931 · 1941

1927
La frontière moderne du Labrador est établie.

1931
Par le Statut de Westminster, le Canada devient un pays indépendant de la Grande-Bretagne.

Au Québec, on **colonise** de nouvelles régions. La population augmente rapidement.

Voir p. 100

Le Québec connaît une période de croissance économique.

Voir p. 102

Le Québec est une société en pleine **industrialisation**. Aussi, les conditions de vie de la population s'améliorent.

Voir p. 104

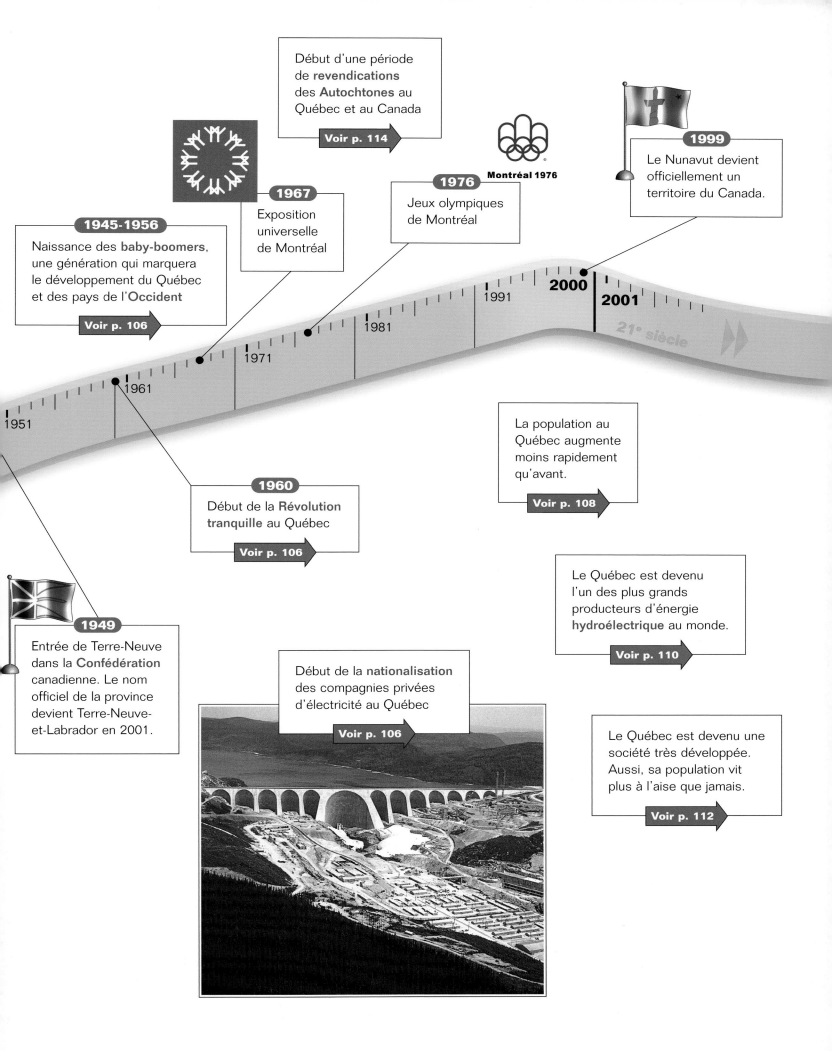

Début d'une période de **revendications** des **Autochtones** au Québec et au Canada

Voir p. 114

1976
Jeux olympiques de Montréal

Montréal 1976

1999
Le Nunavut devient officiellement un territoire du Canada.

1945-1956
Naissance des **baby-boomers**, une génération qui marquera le développement du Québec et des pays de l'**Occident**

Voir p. 106

1967
Exposition universelle de Montréal

1991

2000

2001

21ᵉ siècle

1981

1971

1961

1951

La population au Québec augmente moins rapidement qu'avant.

Voir p. 108

1960
Début de la **Révolution tranquille** au Québec

Voir p. 106

Le Québec est devenu l'un des plus grands producteurs d'énergie **hydroélectrique** au monde.

Voir p. 110

1949
Entrée de Terre-Neuve dans la **Confédération** canadienne. Le nom officiel de la province devient Terre-Neuve-et-Labrador en 2001.

Début de la **nationalisation** des compagnies privées d'électricité au Québec

Voir p. 106

Le Québec est devenu une société très développée. Aussi, sa population vit plus à l'aise que jamais.

Voir p. 112

Les sociétés de l'Ouest canadien vers 1905

En 1905, les provinces de l'Alberta et de la Saskatchewan sont créées. Elles forment, avec le Manitoba, les Prairies canadiennes. La Colombie-Britannique est la province la plus à l'ouest du pays. Depuis les années 1880, des centaines de milliers d'immigrants viennent peupler l'Ouest du Canada et profitent des **atouts** de ce vaste territoire.

Les chaînes de montagnes de la cordillère de l'Ouest sont riches en charbon et en minéraux, comme l'or, le cuivre et l'argent.

▲ Le train est essentiel au développement économique de l'Ouest. En plus d'amener des immigrants, il permet de transporter du bois de construction, du bétail et de la machinerie agricole.

La population des provinces de l'Ouest canadien vers 1911

Provinces	Population
Colombie-Britannique	392 500
Alberta	374 300
Saskatchewan	492 400
Manitoba	461 400

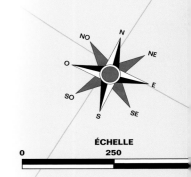

ÉCHELLE

0   250

La société canadienne des Prairies

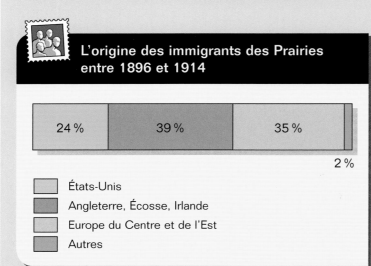

L'origine des immigrants des Prairies entre 1896 et 1914

| 24 % | 39 % | 35 % |

2 %

- ☐ États-Unis
- ☐ Angleterre, Écosse, Irlande
- ☐ Europe du Centre et de l'Est
- ☐ Autres

Dans les Prairies, environ 70 % de la population pratique l'agriculture. Au début du 20e siècle, la mécanisation du travail agricole commence, comme le montre ce tracteur à vapeur.

▼

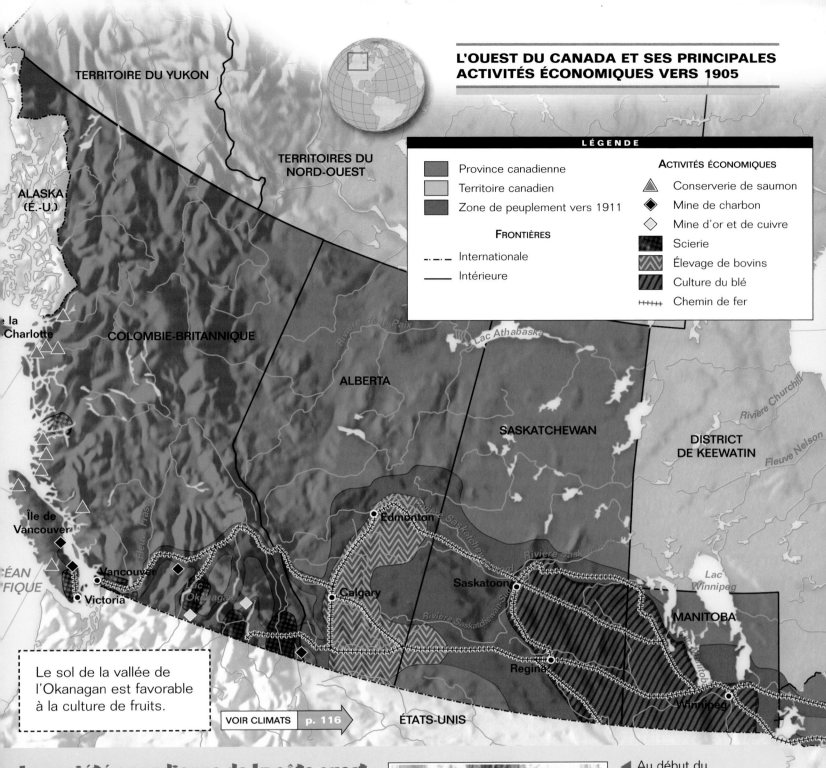

L'OUEST DU CANADA ET SES PRINCIPALES ACTIVITÉS ÉCONOMIQUES VERS 1905

TERRITOIRE DU YUKON

TERRITOIRES DU NORD-OUEST

ALASKA (É.-U.)

LÉGENDE

Province canadienne
Territoire canadien
Zone de peuplement vers 1911

FRONTIÈRES

-.-.- Internationale
—— Intérieure

ACTIVITÉS ÉCONOMIQUES

△ Conserverie de saumon
◆ Mine de charbon
◇ Mine d'or et de cuivre
▨ Scierie
▧ Élevage de bovins
▨ Culture du blé
++++ Chemin de fer

la Charlotte

COLOMBIE-BRITANNIQUE

Rivière de la Paix

Lac Athabaska

ALBERTA

SASKATCHEWAN

DISTRICT DE KEEWATIN

Rivière Churchill

Fleuve Nelson

Île de Vancouver

Edmonton

Rivière Saskatchewan-Nord

Lac Winnipeg

OCÉAN PACIFIQUE

Vancouver

Victoria

Lac Okanagan

Calgary

Saskatoon

Rivière Saskatchewan-Sud

MANITOBA

Le sol de la vallée de l'Okanagan est favorable à la culture de fruits.

Regina

Winnipeg

VOIR CLIMATS p. 116

ÉTATS-UNIS

La société canadienne de la côte ouest

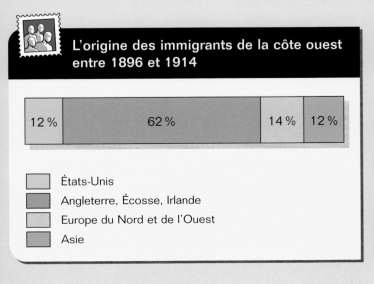

L'origine des immigrants de la côte ouest entre 1896 et 1914

| 12 % | 62 % | 14 % | 12 % |

☐ États-Unis
☐ Angleterre, Écosse, Irlande
☐ Europe du Nord et de l'Ouest
☐ Asie

◀ Au début du 20e siècle, l'industrie du bois de sciage est l'activité économique la plus importante. La forêt compte, entre autres, des sapins de Douglas. Ils peuvent atteindre une très grande taille (60 mètres ou plus).

Le territoire et la population du Québec vers 1905

En 1905, la frontière de la province de Québec est repoussée vers le nord à la suite d'une entente avec le gouvernement fédéral. La majorité des habitants vivent dans le sud de la province. À cette époque, la population augmente, mais elle connaît de grands mouvements. C'est ainsi que se développent de nouvelles régions.

LE TERRITOIRE ET LA RÉPARTITION DE LA POPULATION DU QUÉBEC VERS 1905

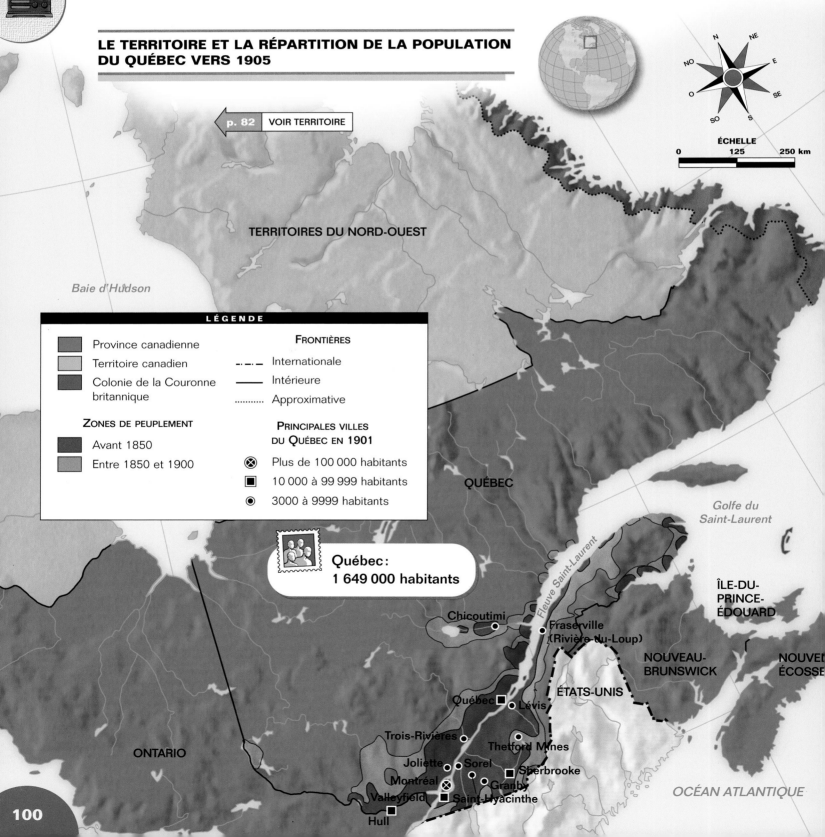

p. 82 — VOIR TERRITOIRE

TERRITOIRES DU NORD-OUEST

Baie d'Hudson

LÉGENDE

Province canadienne
Territoire canadien
Colonie de la Couronne britannique

ZONES DE PEUPLEMENT
Avant 1850
Entre 1850 et 1900

FRONTIÈRES
–·–·– Internationale
——— Intérieure
·········· Approximative

PRINCIPALES VILLES DU QUÉBEC EN 1901
⊗ Plus de 100 000 habitants
■ 10 000 à 99 999 habitants
⊙ 3000 à 9999 habitants

QUÉBEC

Golfe du Saint-Laurent

Québec : 1 649 000 habitants

Chicoutimi

Fraserville (Rivière-du-Loup)

Fleuve Saint-Laurent

ÎLE-DU-PRINCE-ÉDOUARD

NOUVEAU-BRUNSWICK

NOUVE ÉCOSSE

ÉTATS-UNIS

Québec ■ ⊙ Lévis

Trois-Rivières

Thetford Mines

Joliette ⊙ Sorel

Sherbrooke

ONTARIO

Montréal ⊗ Granby

Valleyfield ■ Saint-Hyacinthe

Hull

OCÉAN ATLANTIQUE

Les mouvements de la population au début du 20ᵉ siècle

Vers la ville

URBANISATION

▲ Les emplois dans les **manufactures** et les usines attirent des gens de la campagne en ville.

Vers le sud et vers l'ouest

ÉMIGRATION

▲ Au début du 20ᵉ siècle, des Canadiens français quittent le Québec pour aller cultiver les terres de l'Ouest canadien. D'autres s'en vont travailler dans les manufactures de la côte est des États-Unis.

Vers de nouvelles régions du Québec

COLONISATION

Au début du 20ᵉ siècle, les régions de **colonisation** actives sont le Lac-Saint-Jean, l'Outaouais, le Témiscamingue, le Bas-Saint-Laurent et la Gaspésie. ▶

L'origine ethnique de la population du Québec en 1901

80 %	18 %

2 %

☐ Origine française ☐ Origine britannique

☐ Autres origines (principalement allemande, juive, italienne, amérindienne)

Le savais-tu ?

Au début du 20ᵉ siècle, environ 10 000 personnes d'origine amérindienne vivent au Québec. C'est beaucoup moins qu'avant l'arrivée des Européens.

Les activités économiques au Québec vers 1905

Au début du 20ᵉ siècle, trois grands secteurs d'activités économiques se développent au Québec : le **secteur primaire**, le **secteur secondaire** et le **secteur tertiaire**. En agriculture, des coopératives voient le jour et l'**exportation** des produits augmente. Le développement de l'**hydroélectricité** permet de créer des industries. Enfin, avec la croissance des villes, le secteur tertiaire joue un rôle plus grand dans l'économie.

L'EXPLOITATION DES RESSOURCES NATURELLES ET LES PRINCIPALES INDUSTRIES ENTRE MONTRÉAL ET FRASERVILLE VERS 1905

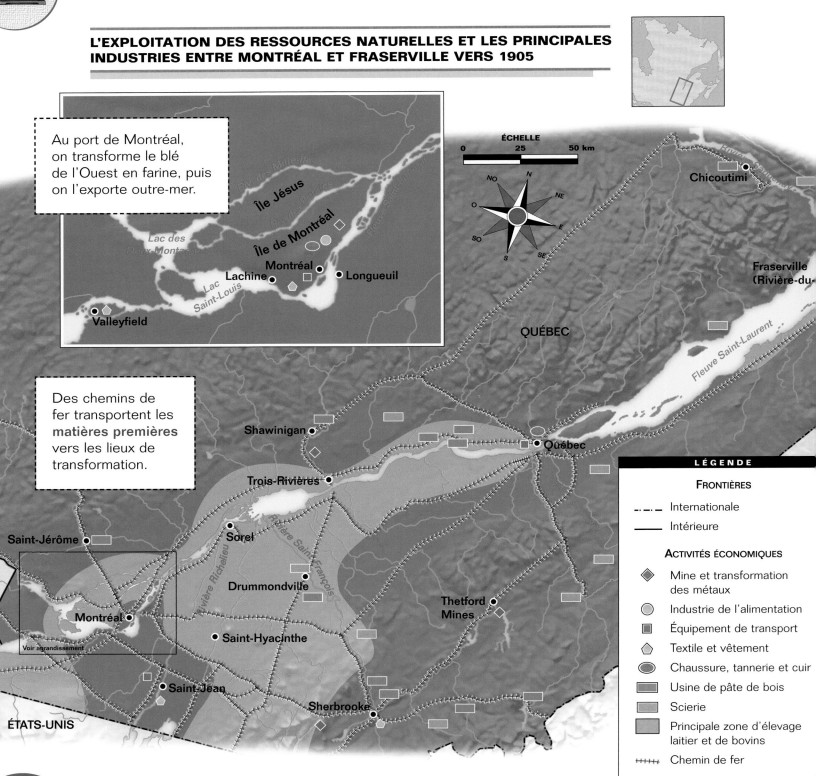

Au port de Montréal, on transforme le blé de l'Ouest en farine, puis on l'exporte outre-mer.

Des chemins de fer transportent les **matières premières** vers les lieux de transformation.

ÉCHELLE
0   25   50 km

Île Jésus
Île de Montréal
Montréal
Lachine ● ● Longueuil
Lac des Deux-Montagnes
Lac Saint-Louis
Valleyfield

Chicoutimi

Fraserville (Rivière-du-...

QUÉBEC

Fleuve Saint-Laurent

Shawinigan
Québec
Trois-Rivières
Saint-Jérôme
Sorel
Drummondville
Thetford Mines
Montréal
Saint-Hyacinthe
Voir agrandissement
Saint-Jean
Sherbrooke
ÉTATS-UNIS

LÉGENDE

FRONTIÈRES

–·–· Internationale

—— Intérieure

ACTIVITÉS ÉCONOMIQUES

◆ Mine et transformation des métaux

◐ Industrie de l'alimentation

▣ Équipement de transport

⬠ Textile et vêtement

⬭ Chaussure, tannerie et cuir

▬ Usine de pâte de bois

▭ Scierie

▬ Principale zone d'élevage laitier et de bovins

+++++ Chemin de fer

La répartition de la main-d'œuvre au Québec par secteur d'activités

25 %

48 %

27 %

▢ Primaire   ▢ Tertiaire

▢ Secondaire

◀ p. 84   **VOIR ACTIVITÉS ÉCONOMIQUES**

◀ Au début du 20ᵉ siècle, Montréal est la **métropole** financière et industrielle du Canada. La Banque de Montréal, située sur la rue Saint-Jacques, est un centre d'activités important.

Le travail en usine n'est pas facile : longues journées, petits salaires, environnement peu sécuritaire. Pour obtenir de meilleures conditions de travail, certains travailleurs mettent sur pied des **syndicats**. ▶

◀ Ce barrage de la Shawinigan Water and Power Company, situé à Shawinigan, est terminé en 1901. Il est le premier du genre au Québec. Dès 1903, l'énergie produite à cet endroit alimente la ville de Montréal. Grâce à ses rivières au **débit** abondant, le Québec sera bientôt un grand producteur d'hydroélectricité.

? Le savais-tu ?

Les premières **décennies** du 20ᵉ siècle représentent une période de **prospérité** pour le Canada. La Première Guerre mondiale (1914-1918) stimule l'industrie. La croissance se poursuit durant les années 1920, appelées les *années folles*. Pourtant, en 1929, survient une crise économique. S'ensuivra une période de chômage et de misère pour la majorité de la population.

La soupe populaire

Vivre au Québec vers 1905

Vers 1905, les habitants du Québec ne vivent pas tous de la même manière. Les gens de la campagne profitent de l'amélioration des transports et du développement de petites villes ou de villages. Les grandes villes sont plus modernes. Toutefois, le mode de vie de la **classe ouvrière** et celui de la **bourgeoisie** ne sont pas du tout les mêmes.

Dans les villages

Le savais-tu ?

Environ 20 % de la population **rurale** vit dans les villages. Contrairement aux villes, la plupart des villages n'ont pas encore l'électricité. Les maisons des notables et les commerces sont souvent regroupés autour de l'église. L'église du village est le lieu de rassemblement pour les gens de la paroisse.

p. 88 VOIR VILLE ET CAMPAGNE

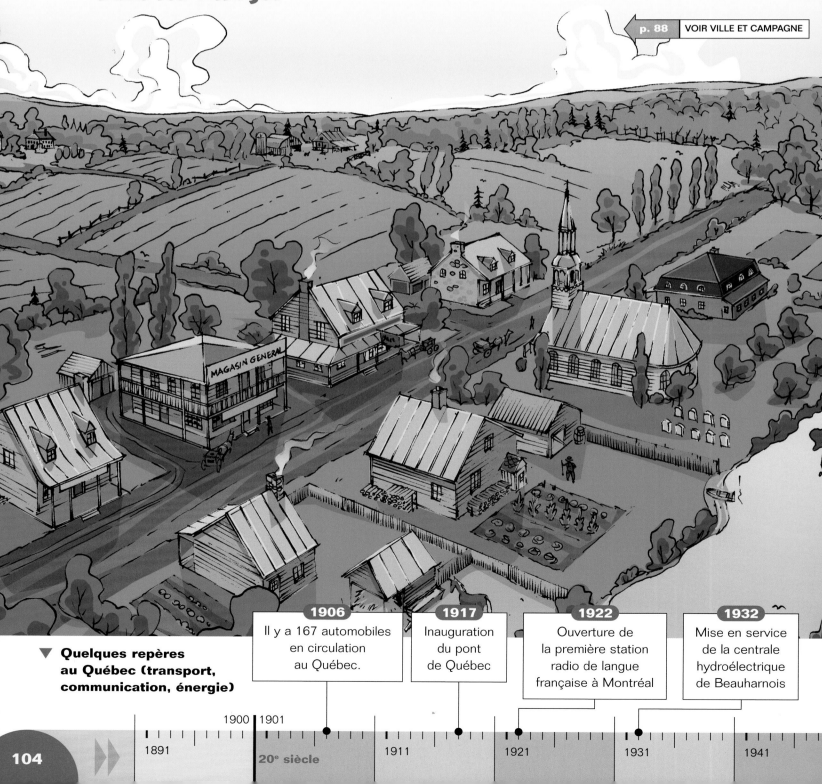

MAGASIN GENERAL

▼ **Quelques repères au Québec (transport, communication, énergie)**

1906
Il y a 167 automobiles en circulation au Québec.

1917
Inauguration du pont de Québec

1922
Ouverture de la première station radio de langue française à Montréal

1932
Mise en service de la centrale hydroélectrique de Beauharnois

1891 1900 1901 20e siècle 1911 1921 1931 1941

Dans les grandes villes

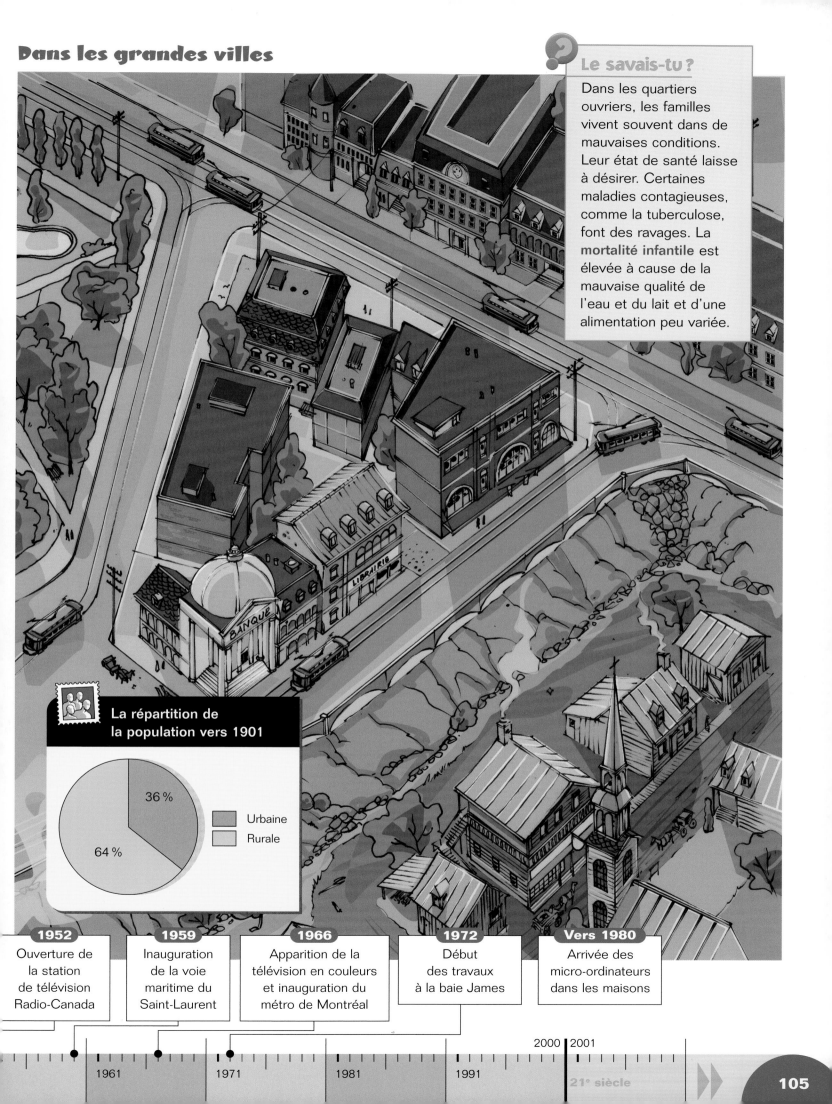

Le savais-tu ?

Dans les quartiers ouvriers, les familles vivent souvent dans de mauvaises conditions. Leur état de santé laisse à désirer. Certaines maladies contagieuses, comme la tuberculose, font des ravages. La **mortalité infantile** est élevée à cause de la mauvaise qualité de l'eau et du lait et d'une alimentation peu variée.

La répartition de la population vers 1901

36 %

64 %

Urbaine
Rurale

1952
Ouverture de la station de télévision Radio-Canada

1959
Inauguration de la voie maritime du Saint-Laurent

1966
Apparition de la télévision en couleurs et inauguration du métro de Montréal

1972
Début des travaux à la baie James

Vers 1980
Arrivée des micro-ordinateurs dans les maisons

2000 | 2001

1961   1971   1981   1991

21e siècle

105

La Révolution tranquille

En 1960, les Canadiens français sont une majorité dominée au Québec. Le pouvoir économique est entre les mains d'une minorité de Canadiens anglais et d'États-Uniens. Cependant, la **Révolution tranquille** se prépare. En quelques années, la situation évolue rapidement grâce, entre autres, au gouvernement de Jean Lesage. La société québécoise vivra de grands changements dans plusieurs domaines au cours des années qui suivront.

Santé et services sociaux

- Soins de santé gratuits assurés par l'État et non plus par le clergé
- Mise en place de **services sociaux** destinés aux jeunes, aux familles et aux personnes âgées
- Construction d'hôpitaux modernes et publics

Les soins de santé et les services sociaux prennent la plus grande part du budget de l'État québécois. ▶

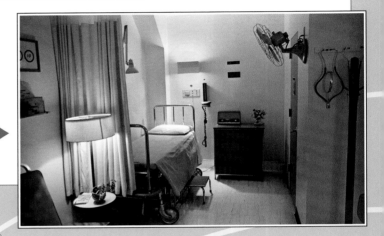

Fonction publique

- Engagement massif de personnel dans les différents ministères

L'État embauche des femmes et des hommes spécialisés dans plusieurs domaines. ▶

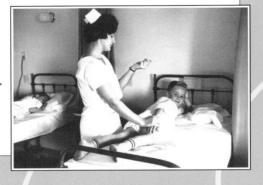

La société québécoise

Langue et culture

- Soutien au développement des arts
- Protection et promotion de la langue française

À Montréal, ville ▶ majoritairement francophone, l'anglais est la principale langue du commerce et des affaires.

Développement économique

- Participation du gouvernement au développement d'entreprises québécoises
- Construction d'**infrastructures** : routes, autoroutes, transport en commun, etc.

La construction de ▶ l'autoroute 20 permettra la circulation rapide des biens et des personnes.

Condition des femmes

- Baisse des naissances
- Accès aux études supérieures
- Plus grand accès au marché du travail

◄ En 1961, Marie-Claire Kirkland-Casgrain est la première femme élue députée et la première femme nommée ministre au Québec.

Le savais-tu ?

Le grand mouvement de changements que connaît le Québec au cours des années 1960 est appelé Révolution tranquille. En effet, ces changements profonds se font sans armes et sans violence.

Développement social

- Loi sur l'aide sociale
- Code du travail qui permet la **syndicalisation** des travailleurs

Par leurs revendications et leurs actions, les syndicats jouent un rôle important dans le développement du Québec. ►

Éducation

- Création du ministère de l'Éducation
- École obligatoire jusqu'à 16 ans
- Développement des maternelles
- Création des polyvalentes, des cégeps et d'un réseau national d'universités publiques (Université du Québec)

Paul Gérin-Lajoie est le premier à occuper la fonction de ministre de l'Éducation au Québec. ►

Nationalisation de l'électricité

- Achat d'entreprises privées d'électricité par le gouvernement pour les intégrer à Hydro-Québec
- Construction de grands barrages sur la rivière Manicouagan et sur la rivière aux Outardes par Hydro-Québec

René Lévesque est ministre des ► Richesses naturelles de 1961 à 1966. Il est le maître d'œuvre de la **nationalisation** de l'électricité.

Le territoire et la population du Québec vers 1980

En 1980, le territoire québécois s'étend jusqu'à la baie d'Ungava. La chute de la natalité et l'**émigration** vers les autres provinces canadiennes ralentissent la croissance de la population du Québec. Les déplacements de la population sur le territoire favorisent le développement des banlieues.

As-tu remarqué ?

Dix **régions administratives** ont été créées en 1966. Aujourd'hui, le Québec compte 17 régions administratives.

ORGANISATION DU TERRITOIRE AU QUÉBEC VERS 1980

p. 100 VOIR TERRITOIRE

6 438 000 habitants

Mer du Labrador

Baie d'Hudson

QUÉBEC

Tracé de 1927 du Conseil privé (non définitif)

Tracé de 1927 du Conseil privé (non définitif)

10
Nouveau-Québec

09
Côte-Nord

Baie James

Sept-Îles

Golfe du Saint-Laurent

LÉGENDE

FRONTIÈRES
-..-..- Internationale
——— Intérieure
——— Région administrative

ZONES
Urbaines
Rurales
De nature et de ressources

PRINCIPALES VILLES DU QUÉBEC EN 1981
● Plus de 500 000
● 100 000 à 499 999
◉ 50 000 à 99 999
◎ 20 000 à 49 999

01
Bas-Saint-Laurent — Gaspésie

02
Saguenay — Lac-Saint-Jean

Fleuve Saint-Laurent

Rimouski

Chicoutimi
Jonquière

08
Abitibi — Témiscamingue

04
Trois-Rivières

03
Québec

ÎLE-DU PRINC ÉDOUA

NOUVEAU-BRUNSWICK

Québec

Val-d'Or

Trois-Rivières

07
Outaouais

06
Montréal

05
Estrie

NOUVEL ÉCOSSE

Laval   Longueuil
Montréal   Sherbrooke

Gatineau
Hull

ONTARIO

ÉTATS-UNIS

ÉCHELLE
0   100   200 km

N
NE
NO   E
O
SO   S   SE

Les différents milieux territoriaux du Québec

Les zones urbaines

Les zones urbaines sont en pleine croissance vers 1980. Elles regroupent la majorité de la population du Québec. Dans les grandes villes comme Montréal et Québec, on constate un déplacement de la population vers les banlieues.

La ville de Montréal

La banlieue de Montréal

Les zones rurales

Les zones rurales regroupent les campagnes, les villages et certaines petites villes. Les terres agricoles et la forêt occupent une grande partie du territoire.

L'origine ethnique de la population du Québec en 1980

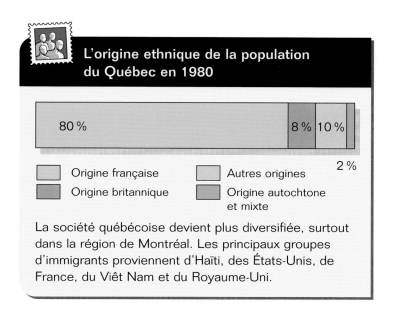

80 %	8 %	10 %

2 %

- ☐ Origine française
- ☐ Origine britannique
- ☐ Autres origines
- ☐ Origine autochtone et mixte

La société québécoise devient plus diversifiée, surtout dans la région de Montréal. Les principaux groupes d'immigrants proviennent d'Haïti, des États-Unis, de France, du Viêt Nam et du Royaume-Uni.

Les zones de nature et de ressources

Les zones de nature et de ressources correspondent principalement aux **plateaux** du territoire québécois. Elles sont immenses et relativement peu peuplées. On y trouve, entre autres, des parcs naturels, des villes minières, des zones d'exploitation forestière et des sites de production d'énergie **hydroélectrique**.

La répartition de la population vers 1980

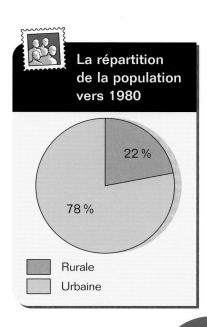

22 %

78 %

- ☐ Rurale
- ☐ Urbaine

Les activités économiques au Québec vers 1980

La seconde moitié du 20ᵉ siècle est marquée par des changements dans les trois secteurs d'activités. On exploite les richesses naturelles de plus en plus loin des zones très peuplées. On assiste à une forte poussée des industries et des **activités de services**. La technologie et les voies de communication sont en plein développement.

LES PRINCIPALES INFRASTRUCTURES DE TRANSPORT AU QUÉBEC VERS 1980

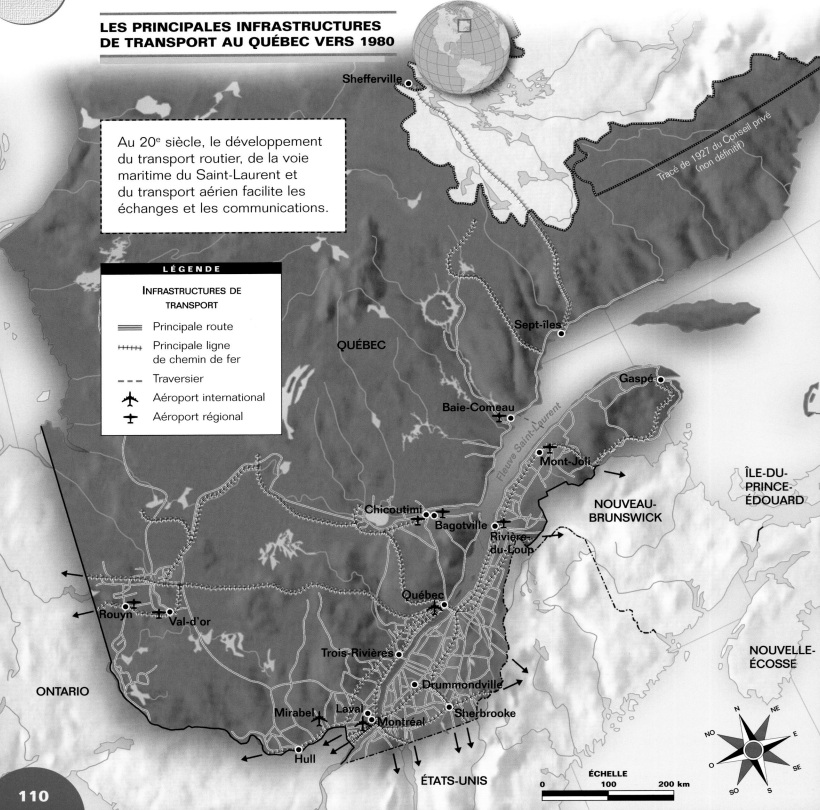

Au 20ᵉ siècle, le développement du transport routier, de la voie maritime du Saint-Laurent et du transport aérien facilite les échanges et les communications.

LÉGENDE

INFRASTRUCTURES DE TRANSPORT

═══ Principale route

+++++ Principale ligne de chemin de fer

- - - Traversier

✈ Aéroport international

✛ Aéroport régional

La répartition de la main-d'œuvre au Québec vers 1980 par secteur d'activités

- 4 %
- 26 %
- 70 %

Primaire
Secondaire
Tertiaire

LES INDUSTRIES MANUFACTURIÈRES ET LA PRODUCTION D'ÉNERGIE AU QUÉBEC VERS 1980

Le savais-tu ?

Vers 1980, le Québec est engagé dans un programme de construction de centrales **hydroélectriques**. Il devient l'un des plus grands producteurs d'énergie hydroélectrique au monde. Ces grands chantiers stimulent le secteur de la construction.

On constate un recul des industries légères traditionnelles, comme celles du textile, du cuir et du vêtement. Par contre, les industries liées à la transformation, à la fabrication, et aux sous-produits du pétrole se multiplient.

LÉGENDE

TYPES D'INDUSTRIES DANS LES VILLES

- Alimentation et textile
- Transformation du bois, des minéraux ou du pétrole
- Imprimerie et fabrication de machines et de matériel de transport
- Industries diversifiées

La taille des cercles sur la carte est proportionnelle au nombre d'emplois dans chaque agglomération ou ville.

CENTRALE

- ▲ Hydroélectrique
- △ Thermique
- ▲ Nucléaire

Baie d'Hudson

Baie ames

QUÉBEC

Sept-Îles

Golfe du Saint-Laurent

Gaspé

Chandler
Newport

Baie-Comeau

Matane

Chibougamau

Fleuve Saint-Laurent

Rimouski

ÎLE-DU-PRINCE-ÉDOUARD

Dolbeau
Saint-Félicien Alma

Chicoutimi-Jonquière

Rivière-du-Loup

NOUVEAU-BRUNSWICK

Lebel-sur-Quevillon

Saint-Pamphile

La Sarre

Montmagny

Rouyn Val-d'Or

La Tuque

Québec

NOUVELLE-ÉCOSSE

Mont-Laurier

Shawinigan
Trois-Rivières

Thetford Mines
Victoriaville

ONTARIO

Témiscaming

Sorel

Saint-Hyacinthe

Drummondville

Sherbrooke

Magog

Granby

Montréal

N
NE
NO
E
O
SE
SO
S

Ottawa-Hull

ÉTATS-UNIS

ÉCHELLE
0   100   200 km

p. 102 VOIR ACTIVITÉS ÉCONOMIQUES

Vivre au Québec vers 1980

La population québécoise vit plus à l'aise que jamais. Le changement des mentalités et le progrès technologique modifient la manière de vivre au Québec. Les différentes activités liées au **secteur tertiaire** occupent une grande place dans la vie quotidienne.

Environnement

Les industries et la société de consommation ont un impact sur la qualité de l'environnement. Plusieurs groupes de pression militent pour un mode de vie moins polluant.

Condition des femmes

Les femmes travaillent de plus en plus dans des domaines traditionnellement réservés aux hommes : recherche scientifique, médecine, ingénierie, administration, finances, etc.

Famille

La vie familiale est moins stable qu'auparavant. Environ une personne sur deux se marie. Les divorces et les familles monoparentales sont plus nombreux.

Alimentation

L'alimentation de la population varie. On apprécie de nouveaux mets. Les produits frais se diversifient.

Consommation

Le progrès socio-économique a permis une hausse de la consommation. Les droits des consommateurs sont maintenant mieux protégés.

Plein air et loisirs

Un meilleur niveau de vie et moins d'heures de travail qu'au début du siècle laissent plus de temps pour les loisirs.

Télévision

Les Québécoises et les Québécois passent en moyenne 25 heures par semaine devant leur téléviseur.

Santé

Les maladies liées à un mode de vie sédentaire, comme les maladies cardiaques, augmentent. Le gouvernement encourage les citoyens à faire de l'activité physique.

Le savais-tu ?

C'est le 21 janvier 1948 que le gouvernement du premier ministre Maurice Duplessis dote le Québec d'un drapeau officiel. Le fleurdelisé devient alors le symbole du Québec et le reflet de son histoire en Amérique.

Diversité des origines

Environ 8 % de la population du Québec est née à l'étranger. On encourage les immigrants à vivre en français.

Pratique religieuse

La pratique religieuse est en baisse constante. Environ 40 % des Québécois vont encore à l'église ou au temple.

p. 104   VOIR VIVRE AU QUÉBEC

Les peuples autochtones du Québec vers 1980

Les peuples autochtones sont présents dans la plupart des régions du Québec. Leur mode de vie est très différent selon l'endroit où ils vivent. Vers 1980, les **Autochtones** commencent à revendiquer leurs droits.

Les Inuits

▲
Environ 5000 Inuits vivent dans des villages côtiers, principalement dans le Nunavik, au nord du 55e parallèle. C'est un vaste territoire au climat arctique et à la végétation clairsemée.

▲
Sédentarisés, les Inuits sont convertis à la religion chrétienne. Ils ont conservé plusieurs de leurs traditions ainsi que leur langue, l'inuktitut. Ils s'expriment également en anglais et parfois en français.

Les Micmacs

Environ 2000 Micmacs ▶ vivent au Québec, principalement en Gaspésie, dans deux **réserves** et dans le village de Gaspé. La mer et la forêt mixte leur permettent de vivre surtout de pêche et d'exploitation forestière.

▲
Sédentaires, les Micmacs parlent l'anglais et le français, en plus de leur langue maternelle. Ils sont convertis à la religion chrétienne.

▼ **Les droits des Autochtones au Québec et au Canada**

1919
Création de la Ligue des Indiens du Canada

1939
Les Inuits obtiennent les mêmes droits que les Amérindiens.

1951
Les Amérindiens retrouvent le droit de tenir des cérémonies traditionnelles.

1900 | 1901

1891 20e siècle 1911 1921 1931 1941

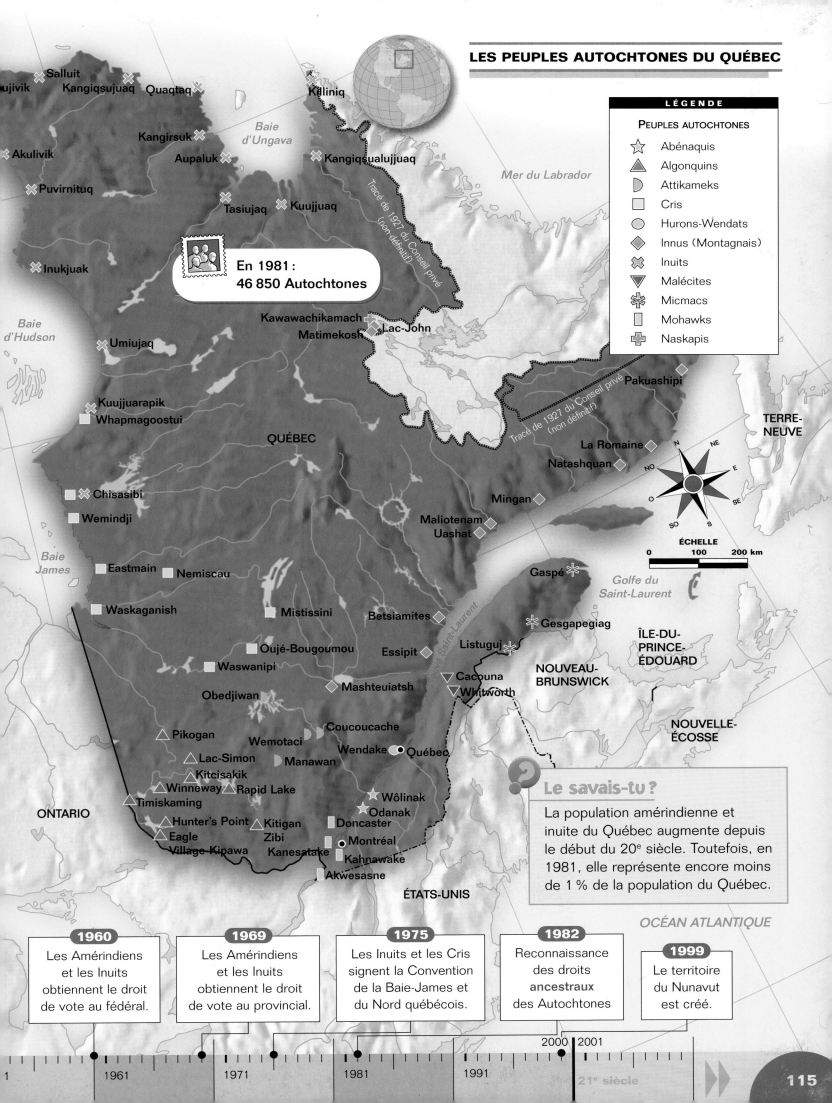

LES PEUPLES AUTOCHTONES DU QUÉBEC

LÉGENDE

PEUPLES AUTOCHTONES

☆ Abénaquis
△ Algonquins
◗ Attikameks
☐ Cris
◯ Hurons-Wendats
◇ Innus (Montagnais)
✖ Inuits
▽ Malécites
✳ Micmacs
▯ Mohawks
✚ Naskapis

Salluit
Kangiqsujuaq
Quaqtaq
ujivik
Killiniq

Baie d'Ungava

Kangiqsualujjuaq

Mer du Labrador

Kangirsuk
Akulivik
Aupaluk
Puvirnituq

Tasiujaq
Kuujjuaq

Inukjuak

**En 1981 :
46 850 Autochtones**

Baie d'Hudson

Pakuashipi

TERRE-
NEUVE

Kawawachikamach
Matimekosh
Lac-John

Umiujaq

Tracé de 1927 du Conseil privé (non définitif)

La Romaine
Natashquan

Kuujjuarapik
Whapmagoostui

QUÉBEC

Mingan

Chisasibi
Wemindji

Maliotenam
Uashat

Baie James

Eastmain
Nemiscau

Gaspé

Golfe du Saint-Laurent

ÎLE-DU-
PRINCE-
ÉDOUARD

Waskaganish

Mistissini

Betsiamites

Gesgapegiag

Oujé-Bougoumou

Essipit

Listuguj

Waswanipi

Mashteuiatsh

Cacouna
Whitworth

NOUVEAU-
BRUNSWICK

Obedjiwan

Coucoucache

NOUVELLE-
ÉCOSSE

Pikogan
Wemotaci
Lac-Simon
Manawan
Wendake
Québec

Kitcisakik
Winneway
Rapid Lake
Timiskaming

Hunter's Point
Kitigan
Zibi
Doncaster

ONTARIO

Eagle
Village Kipawa
Kanesatake
Montréal

Wôlinak
Odanak

Kahnawake
Akwesasne

ÉTATS-UNIS

ÉCHELLE
0   100   200 km

Le savais-tu ?

La population amérindienne et inuite du Québec augmente depuis le début du 20ᵉ siècle. Toutefois, en 1981, elle représente encore moins de 1 % de la population du Québec.

OCÉAN ATLANTIQUE

1960
Les Amérindiens et les Inuits obtiennent le droit de vote au fédéral.

1969
Les Amérindiens et les Inuits obtiennent le droit de vote au provincial.

1975
Les Inuits et les Cris signent la Convention de la Baie-James et du Nord québécois.

1982
Reconnaissance des droits **ancestraux** des Autochtones

1999
Le territoire du Nunavut est créé.

1 | 1961 | 1971 | 1981 | 1991 | 2000 | 2001 | *21ᵉ siècle*

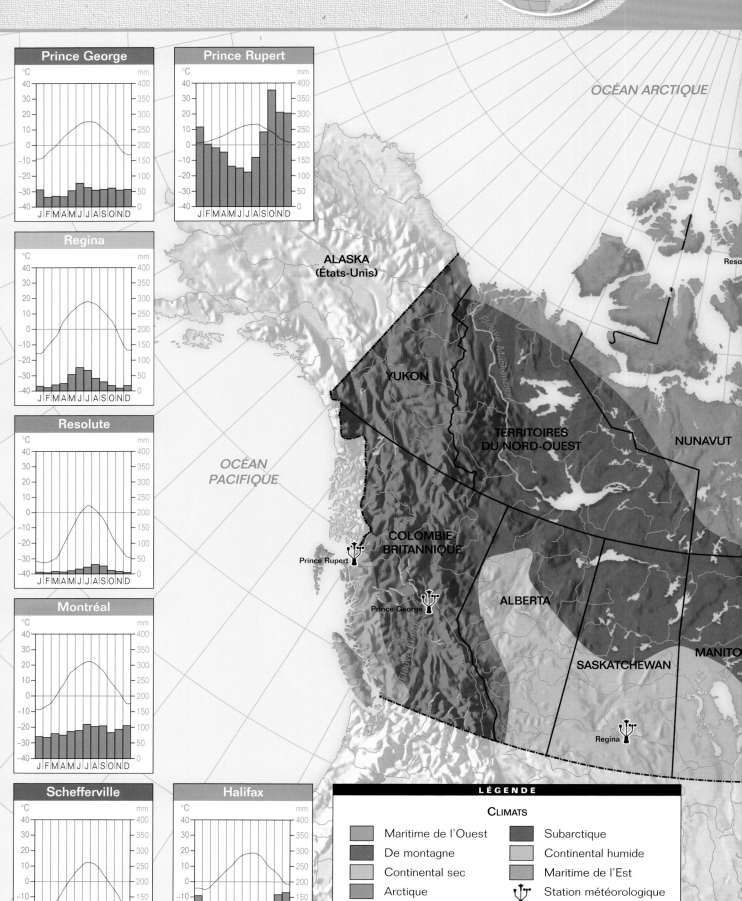

Prince George

°C / mm

Prince Rupert

°C / mm

Regina

°C / mm

Resolute

°C / mm

Montréal

°C / mm

Schefferville

°C / mm

Halifax

°C / mm

OCÉAN ARCTIQUE

ALASKA
(États-Unis)

OCÉAN
PACIFIQUE

YUKON

TERRITOIRES
DU NORD-OUEST

NUNAVUT

COLOMBIE-
BRITANNIQUE

Prince Rupert

Prince George

ALBERTA

MANITO

SASKATCHEWAN

Regina

Reso

Fleuve Mackenzie

Fleuve Fraser

LÉGENDE

CLIMATS

- Maritime de l'Ouest
- De montagne
- Continental sec
- Arctique
- Subarctique
- Continental humide
- Maritime de l'Est
- Station météorologique

Î.-P.-É. : Île-du-Prince-Édouard
N.-B. : Nouveau-Brunswick
N.-É. : Nouvelle-Écosse

Les climats du Québec et du Canada

ISLANDE

GROENLAND
(Danemark)

Mer du Labrador

Baie d'Hudson

Tracé de 1927 du Conseil privé
(non définitif)

Schefferville

QUÉBEC

Tracé de 1927 du Conseil privé
(non définitif)

TERRE-NEUVE-
ET-LABRADOR

ONTARIO

Î.-P.-É.

N.-B.

OCÉAN
ATLANTIQUE

Halifax

N.-É.

Montréal

Saint-Laurent

Lac Supérieur

Lac Michigan

Lac Huron

Lac Ontario

Lac Érié

ÉTATS-UNIS

N
NO   NE
O   E
SO   SE
S

ÉCHELLE
0   250   500 km

Le savais-tu ?

Partout dans le monde, les facteurs suivants expliquent les différents climats :

- la **latitude**
- l'**altitude**
- les **courants océaniques**
- la **continentalité**
- les **déplacements des masses d'air**

Au Québec

Climat arctique

- Hivers très longs et très froids
- Étés très courts et frais

Climat subarctique

- Hivers très froids et longs (6 à 8 mois)
- Étés courts et frais

Climat continental humide

- Quatre saisons bien marquées
- Hivers froids (4 à 6 mois)
- Étés chauds et humides

Climat maritime de l'Est

- Hivers longs et froids (avec périodes de dégel)
- Étés tièdes

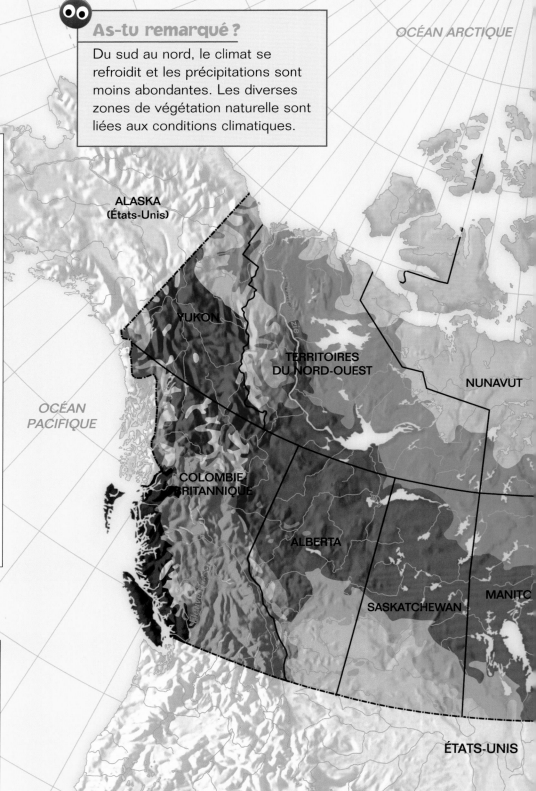

OCÉAN ARCTIQUE

As-tu remarqué ?

Du sud au nord, le climat se refroidit et les précipitations sont moins abondantes. Les diverses zones de végétation naturelle sont liées aux conditions climatiques.

ALASKA
(États-Unis)

YUKON

TERRITOIRES
DU NORD-OUEST

NUNAVUT

OCÉAN
PACIFIQUE

COLOMBIE-
BRITANNIQUE

ALBERTA

MANITO

SASKATCHEWAN

ÉTATS-UNIS

La **forêt côtière** est essentiellement composée de conifères. Les pluies abondantes et une longue **saison végétative** y favorisent la croissance des arbres. Certains peuvent atteindre des dimensions impressionnantes.

LÉGENDE

ZONES DE VÉGÉTATION NATURELLE

- Toundra
- Forêt subarctique
- Forêt boréale
- Forêt mixte
- Forêt de feuillus
- Forêt-parc
- Prairie
- Végétation de montagne
- Forêt côtière

Î.-P.-É. : Île-du-Prince-Édouard

Les zones de végétation naturelle du Québec et du Canada

ISLANDE

GROENLAND
(Danemark)

Mer du Labrador

Baie d'Hudson

QUÉBEC

TERRE-NEUVE-
ET-LABRADOR

ONTARIO

Î.-P.-É.

NOUVEAU-
BRUNSWICK

NOUVELLE-
ÉCOSSE

OCÉAN
ATLANTIQUE

Lac Supérieur

Lac Huron

Lac Michigan

Lac Ontario

Lac Érié

N
NO   NE
O   E
SO   SE
S

ÉCHELLE
0   250   500 km

Au Québec

Dans la **toundra**, les arbustes poussent à l'abri des vents. En général, le sol est dénudé ou couvert de plantes rabougries.

La **forêt subarctique** est très ouverte. Il y pousse principalement des conifères de petite taille et des tapis de lichens et de mousses.

La **forêt boréale** se compose surtout de conifères serrés les uns contre les autres.

La **forêt mixte** se caractérise par un mélange d'arbres feuillus et de conifères.

AUJOURD'HUI

LES GRANDS ENSEMBLES NATURELS DES AMÉRIQUES

LÉGENDE

▢ Chaînes de montagnes	▢ Plaines et plateaux
▢ Boucliers	▢ Glaciers

Le savais-tu ?

Les régions naturelles regroupent des territoires où les formations rocheuses, le relief et la végétation se ressemblent.

OCÉAN ARCTIQUE

ALASKA (États-Unis)

YUKON

Mont Logan

Mont Fairweather

TERRITOIRES DU NORD-OUEST

Fleuve Mackenzie

NUNAVUT

COLOMBIE-BRITANNIQUE

ALBERTA

Mont Robson

Mont Waddington

Fleuve Fraser

Mont Columbia

SASKATCHEWAN

MANITO

ÉTATS-UNIS

LÉGENDE

RÉGIONS NATURELLES

▢ Montagnes de l'Ouest	▢ Basses-terres de la baie d'Hudson	▢ Basses-terres de l'Arctique
▢ Plaines intérieures	▢ Basses-terres du Saint-Laurent	▢ Montagnes de l'Extrême-Arctique
▢ Bouclier canadien	▢ Appalaches	▲ Mont important

Î.-P.-É. : Île-du-Prince-Édouard

Les régions naturelles du Québec et du Canada

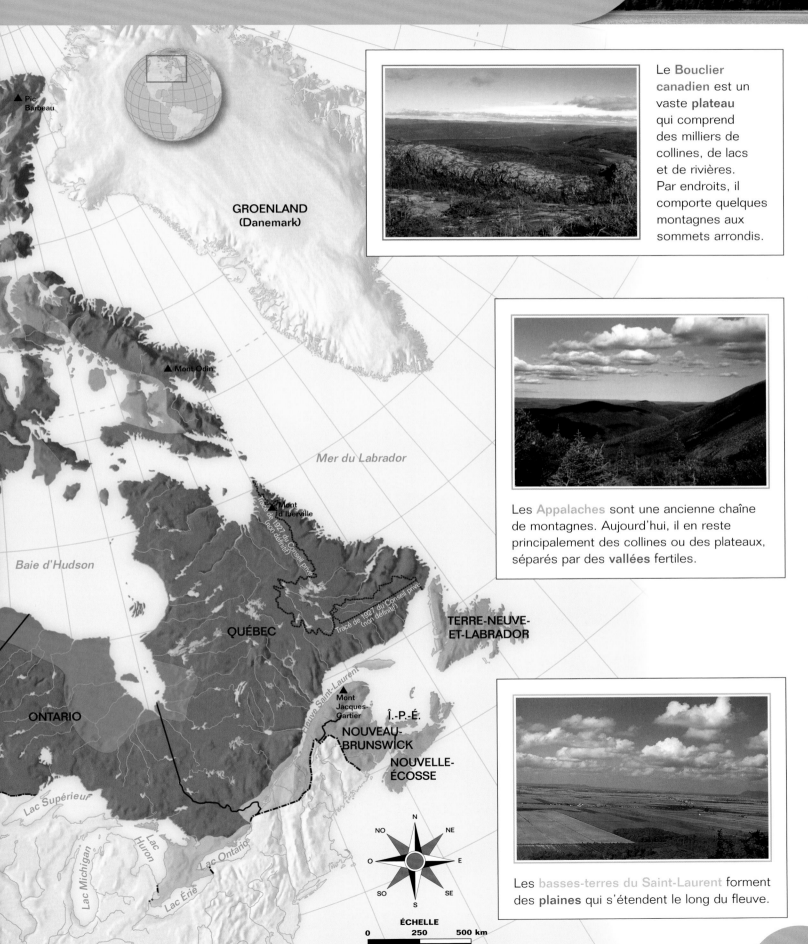

Le **Bouclier canadien** est un vaste **plateau** qui comprend des milliers de collines, de lacs et de rivières. Par endroits, il comporte quelques montagnes aux sommets arrondis.

Les Appalaches sont une ancienne chaîne de montagnes. Aujourd'hui, il en reste principalement des collines ou des plateaux, séparés par des **vallées** fertiles.

Les basses-terres du Saint-Laurent forment des **plaines** qui s'étendent le long du fleuve.

▲ Pic Barbeau

GROENLAND (Danemark)

Mer du Labrador

▲ Mont Odin

Baie d'Hudson

▲ Mont d'Iberville

Tracé de 1927 du Conseil privé (non définitif)

QUÉBEC

Tracé de 1927 du Conseil privé (non définitif)

TERRE-NEUVE-ET-LABRADOR

Fleuve Saint-Laurent

▲ Mont Jacques-Cartier

Î.-P.-É.

NOUVEAU-BRUNSWICK

NOUVELLE-ÉCOSSE

ONTARIO

Lac Supérieur

Lac Michigan

Lac Huron

Lac Ontario

Lac Érié

N
NE
E
SE
S
SO
O
NO

ÉCHELLE
0   250   500 km

OCÉAN ARCTIQUE

Mer de Beaufort

ALASKA
(États-Unis)

YUKON

Grand Lac
de l'Ours

TERRITOIRES
DU NORD-OUEST

NUNAVUT

OCÉAN
PACIFIQUE

Grand Lac
des Esclaves

COLOMBIE-
BRITANNIQUE

Lac
Athabasca

ALBERTA

Riv. Saskatchewan Nord

SASKATCHEWAN

MANITOBA

Fleuve Fraser

Lac
Winnipeg

Rivière
Saskatchewan Sud

Rivière
Qu'appelle

Riv. Assiniboine

ÉTATS-UNIS

?

Le savais-tu ?

Les eaux des rivières et des fleuves s'écoulent toujours des formes de terrain élevées (haute **altitude**) aux basses terres (basse altitude). Au Canada, les cours d'eau se déversent dans de grandes masses d'eau, telles que l'océan Pacifique, l'océan Arctique, la baie d'Hudson, l'océan Atlantique et le golfe du Mexique. Le territoire qui comprend les cours d'eau reliés à une même masse d'eau s'appelle un **bassin hydrographique**.

LÉGENDE

BASSINS

- Du Pacifique
- De l'Arctique
- De la baie d'Hudson
- De l'Atlantique
- Du golfe du Mexique

Î.-P.-É. : Île-du-Prince-Édouard

Les bassins hydrographiques du Québec et du Canada

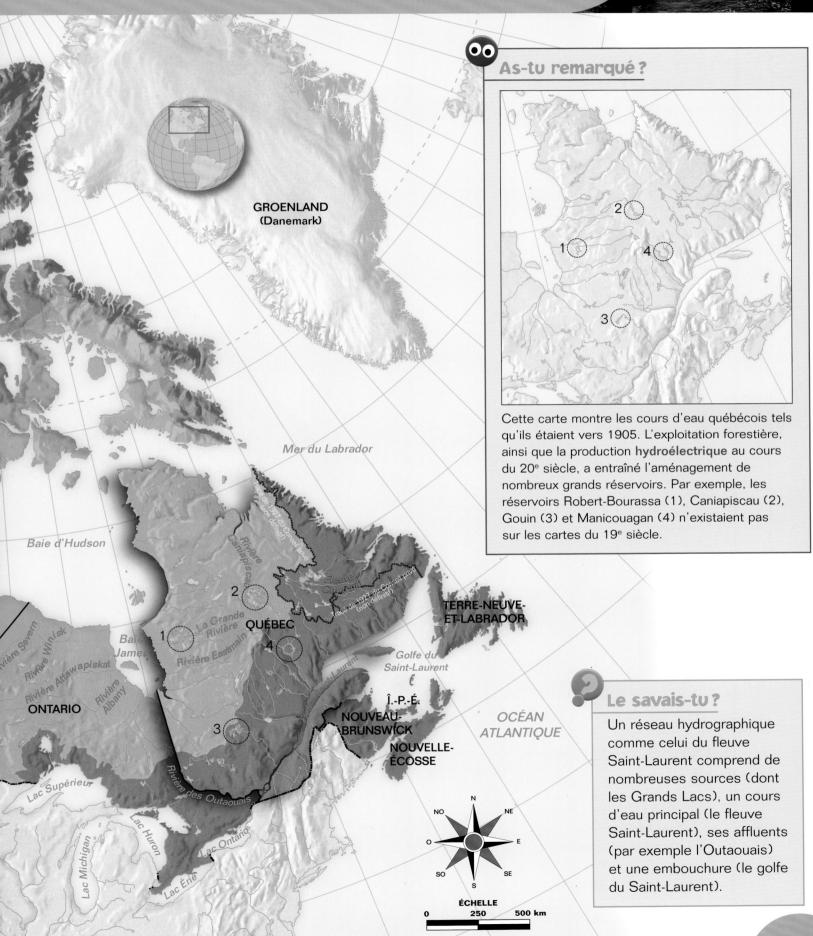

GROENLAND
(Danemark)

Mer du Labrador

Baie d'Hudson

Rivière Severn

Rivière Winisk

Rivière Attawapiskat

Rivière Albany

ONTARIO

Baie James

1

La Grande Rivière

Rivière Caniapiscau

2

Fleuve Churchill

QUÉBEC

4

Rivière Eastmain

Tracé de 1927 du Conseil privé (non définitif)

Tracé de 1927 du Conseil privé (non définitif)

TERRE-NEUVE-ET-LABRADOR

Fleuve Saint-Laurent

Golfe du Saint-Laurent

Î.-P.-É.

NOUVEAU-BRUNSWICK

NOUVELLE-ÉCOSSE

OCÉAN ATLANTIQUE

3

Rivière des Outaouais

Lac Supérieur

Lac Michigan

Lac Huron

Lac Ontario

Lac Érié

N NE NO **E** O SE S SO

ÉCHELLE

0 250 500 km

As-tu remarqué ?

Cette carte montre les cours d'eau québécois tels qu'ils étaient vers 1905. L'exploitation forestière, ainsi que la production **hydroélectrique** au cours du 20e siècle, a entraîné l'aménagement de nombreux grands réservoirs. Par exemple, les réservoirs Robert-Bourassa (1), Caniapiscau (2), Gouin (3) et Manicouagan (4) n'existaient pas sur les cartes du 19e siècle.

Le savais-tu ?

Un réseau hydrographique comme celui du fleuve Saint-Laurent comprend de nombreuses sources (dont les Grands Lacs), un cours d'eau principal (le fleuve Saint-Laurent), ses affluents (par exemple l'Outaouais) et une embouchure (le golfe du Saint-Laurent).

As-tu remarqué ?

Au Canada, deux personnes sur trois vivent dans le sud de l'Ontario et du Québec. Cette région présente des **atouts** importants : le relief, le climat, l'hydrographie et le type de sol. De plus, elle est fortement industrialisée et située près des États-Unis, le plus grand partenaire commercial du Canada. C'est pour cette raison que, dans cette partie du pays, la population augmente plus rapidement qu'ailleurs.

La répartition de la population au Canada en 2001

20 %

80 %

☐ Urbaine   ▨ Rurale

OCÉAN ARCTIQUE

ALASKA
(États-Unis)

YUKON

TERRITOIRES
DU NORD-OUEST

NUNAVUT

COLOMBIE-
BRITANNIQUE

ALBERTA

Edmonton

SASKATCHEWAN

MANITOB

Vancouver

Victoria   Abbotsford

Kelowna   Calgary

Saskatoon

Regina

Winnipeg

OCÉAN PACIFIQUE

ÉTATS-UNIS

LÉGENDE

▨ Zones de peuplement principal
(divisions de recensement
de plus de 1 hab./km², 1996)

AGGLOMÉRATIONS URBAINES (2004)

☐ Plus de 1 000 000 habitants

▨ De 500 000 à 999 999 habitants

☐ De 125 000 à 499 999 habitants

Î.-P.-É. : Île-du-Prince-Édouard

Les populations du Québec et du Canada

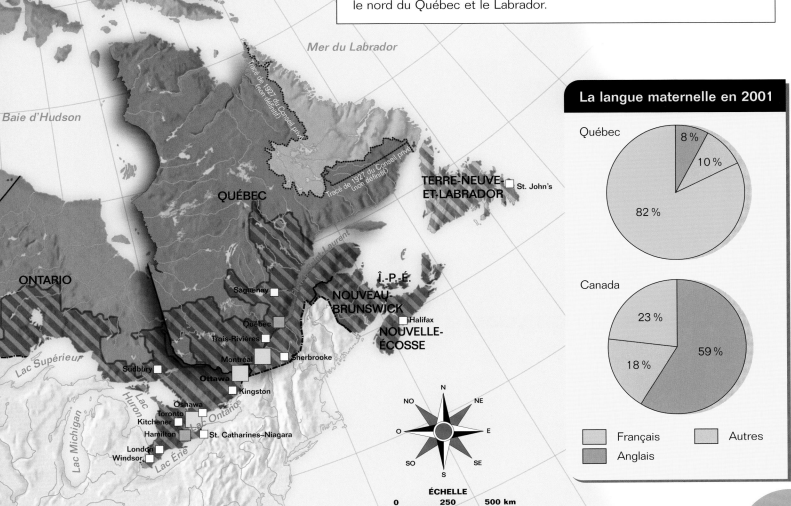

GROENLAND
(Danemark)

Mer du Labrador

Baie d'Hudson

QUÉBEC

Tracé de 1825 du Conseil privé (non définitif)

Tracé de 1927 du Conseil privé (non définitif)

TERRE-NEUVE-ET-LABRADOR

St. John's

ONTARIO

Saguenay

Québec

Trois-Rivières

Montréal

Sherbrooke

Î.-P.-É.

NOUVEAU-BRUNSWICK

NOUVELLE-ÉCOSSE

Halifax

Sudbury

Ottawa

Kingston

Oshawa

Toronto

Kitchener

Hamilton

London

Windsor

St. Catharines–Niagara

Lac Supérieur

Lac Michigan

Lac Huron

Lac Ontario

Lac Érie

Saint-Laurent

ÉCHELLE
0   250   500 km

N
NO   NE
O   E
SO   SE
S

LA POPULATION D'ASCENDANCE AUTOCHTONE DU CANADA EN 2001

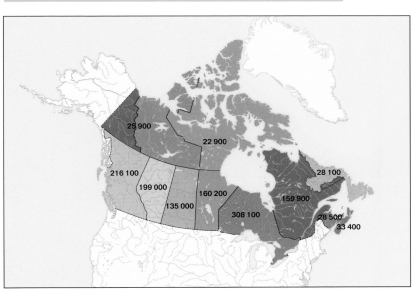

25 900
22 900
216 100
199 000
160 200
135 000
308 100
159 900
28 100
28 500
33 400

Les données inscrites sur la carte indiquent le nombre d'Amérindiens habitant les provinces ou les territoires du Canada. La population autochtone du Canada comprend en plus 51 400 Inuits répartis principalement dans le Nunavut, les Territoires du Nord-Ouest, le nord du Québec et le Labrador.

La langue maternelle en 2001

Québec

8 %
10 %
82 %

Canada

23 %
18 %
59 %

Français
Anglais
Autres

AUJOURD'HUI

L'exploitation de la nature engendre les activités du **secteur primaire** :
- coupe du bois
- agriculture et élevage
- extraction minière
- pêche

Les activités du **secteur secondaire** découlent de la transformation des **matières premières** en produits :
- fabrication de biens (meubles, aliments, vêtements, véhicules, etc.)
- construction (bâtiments, routes, etc.)

QUELQUES ATOUTS DU TERRITOIRE CANADIEN

OCÉAN ARCTIQUE

ALASKA
(États-Unis)

YUKON

Whitehorse

TERRITOIRES
DU NORD-OUEST

NUNAVUT

OCÉAN
PACIFIQUE

Yellowknife

COLOMBIE-
BRITANNIQUE

ALBERTA

Edmonton

SASKATCHEWAN

MANITOB

Vancouver
Victoria

Calgary

Saskatoon

Regina

Winnipeg

ÉTATS-UNIS

LÉGENDE

PRINCIPALES ZONES

 D'agriculture et d'élevage

 D'exploitation de la forêt

 De pêcheries en haute mer

 D'extraction du pétrole et du gaz naturel

 Principale mine

 Ville

Î.-P.-É. : Île-du-Prince-Édouard

Les cinq principaux minéraux métalliques extraits au Canada sont l'or, le nickel, le cuivre, le zinc et le fer. Ils se trouvent surtout dans les mines du Bouclier canadien. D'autres ressources minières importantes consistent en gisements d'uranium et de potasse (Saskatchewan) et de diamant (Territoires du Nord-Ouest).

Les activités économiques du Québec et du Canada

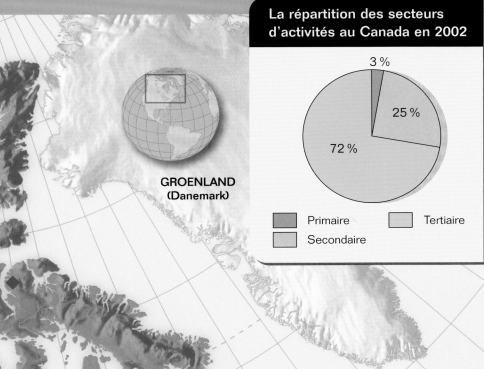

GROENLAND
(Danemark)

La répartition des secteurs d'activités au Canada en 2002

- 3 %
- 25 %
- 72 %

Primaire
Secondaire
Tertiaire

Les activités du **secteur tertiaire** reposent sur les services publics ou privés, par exemple :
- information, culture et loisirs
- santé et assistance sociale
- services d'enseignement
- administration publique
- commerce, hôtellerie et restauration
- services professionnels
- finances, assurances, immobilier
- transports

Iqualuit

Mer du Labrador

Tracé de 1927 du Conseil privé (non définitif)

Baie d'Hudson

Tracé de 1927 du Conseil privé (non définitif)

QUÉBEC

TERRE-NEUVE-ET-LABRADOR St. John's

ONTARIO

Î.-P.-É. Charlottetown

NOUVEAU-BRUNSWICK

Fredericton

Québec

Halifax

NOUVELLE-ÉCOSSE

OCÉAN ATLANTIQUE

Montréal

Ottawa

Lac Supérieur

Lac Huron

Lac Michigan

Toronto

Lac Ontario

Lac Érié

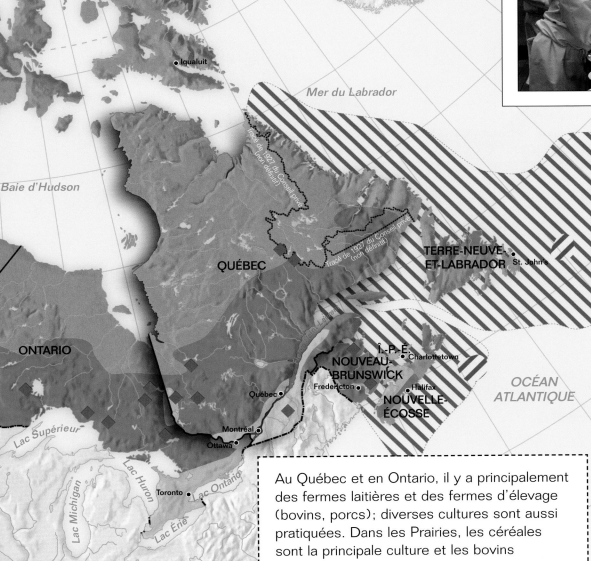

Au Québec et en Ontario, il y a principalement des fermes laitières et des fermes d'élevage (bovins, porcs); diverses cultures sont aussi pratiquées. Dans les Prairies, les céréales sont la principale culture et les bovins constituent le principal élevage.

N
NO   NE
O   E
SO   SE
S

ÉCHELLE
0   250   500 km

LES PAYS LES PLUS ÉTENDUS ET LA SUPERFICIE DU QUÉBEC

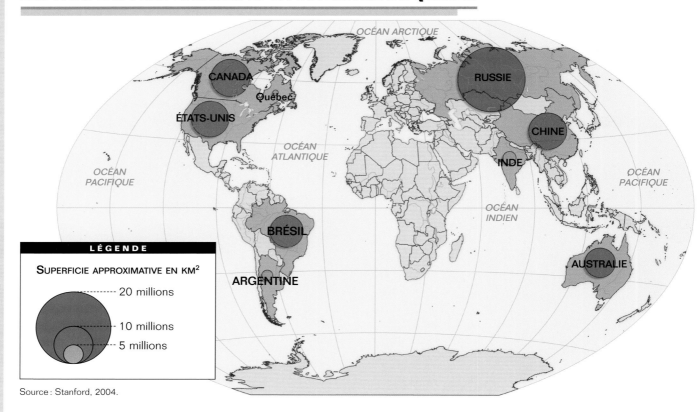

LÉGENDE

SUPERFICIE APPROXIMATIVE EN KM²

- 20 millions
- 10 millions
- 5 millions

Source : Stanford, 2004.

LES PAYS LES PLUS PEUPLÉS ET LA POPULATION DU QUÉBEC ET DU CANADA

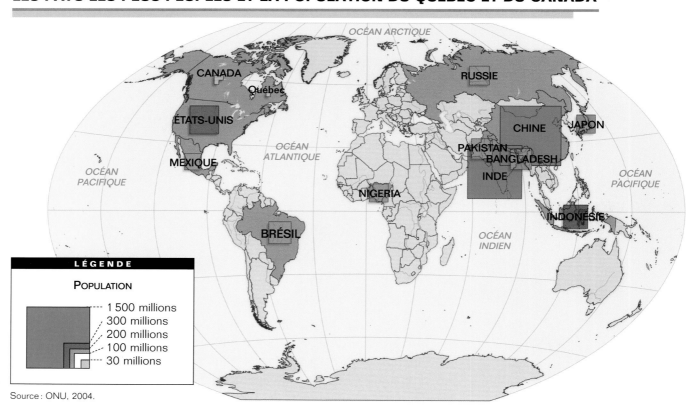

LÉGENDE

POPULATION

- 1 500 millions
- 300 millions
- 200 millions
- 100 millions
- 30 millions

Source : ONU, 2004.

Clins d'œil sur le monde actuel

LES PRINCIPALES LANGUES OFFICIELLES DES PAYS DU MONDE

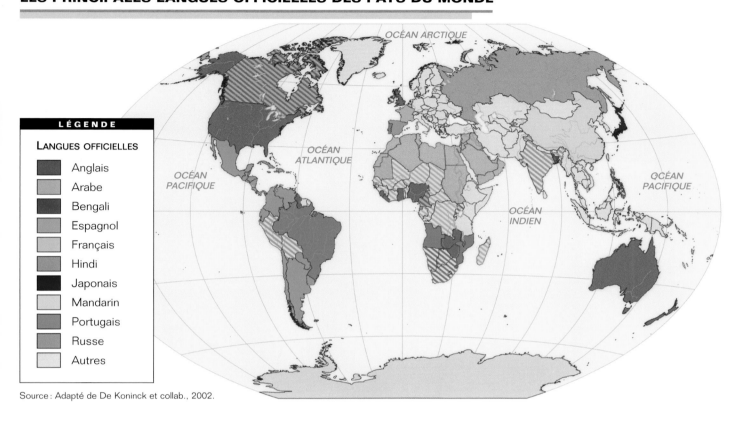

LÉGENDE

LANGUES OFFICIELLES

- Anglais
- Arabe
- Bengali
- Espagnol
- Français
- Hindi
- Japonais
- Mandarin
- Portugais
- Russe
- Autres

Source : Adapté de De Koninck et collab., 2002.

LES PRINCIPALES RELIGIONS DANS LE MONDE

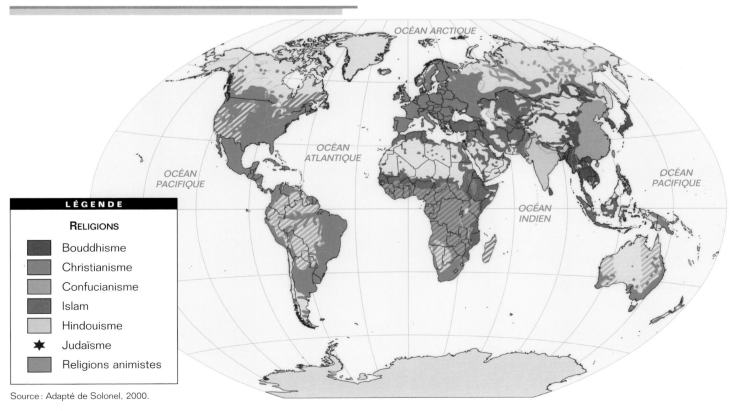

LÉGENDE

RELIGIONS

- Bouddhisme
- Christianisme
- Confucianisme
- Islam
- Hindouisme
- ★ Judaïsme
- Religions animistes

Source : Adapté de Solonel, 2000.

AUJOURD'HUI

Dans les pays libres, les citoyens jouissent de **libertés politiques et civiles**. C'est ce qu'on appelle une **société démocratique**.

45 % de la population mondiale

Dans les pays partiellement libres, les libertés politiques et civiles sont en partie contrôlées par les autorités gouvernementales. La corruption, le faible respect des lois, les conflits ethniques ou religieux et parfois des guerres civiles constituent les caractéristiques de ces pays.

20 % de la population mondiale

LÉGENDE	
PAYS	
	Libres
	Partiellement libres
	Non libres

Source : Freedom House, 2004.

L'état de la démocratie dans le monde

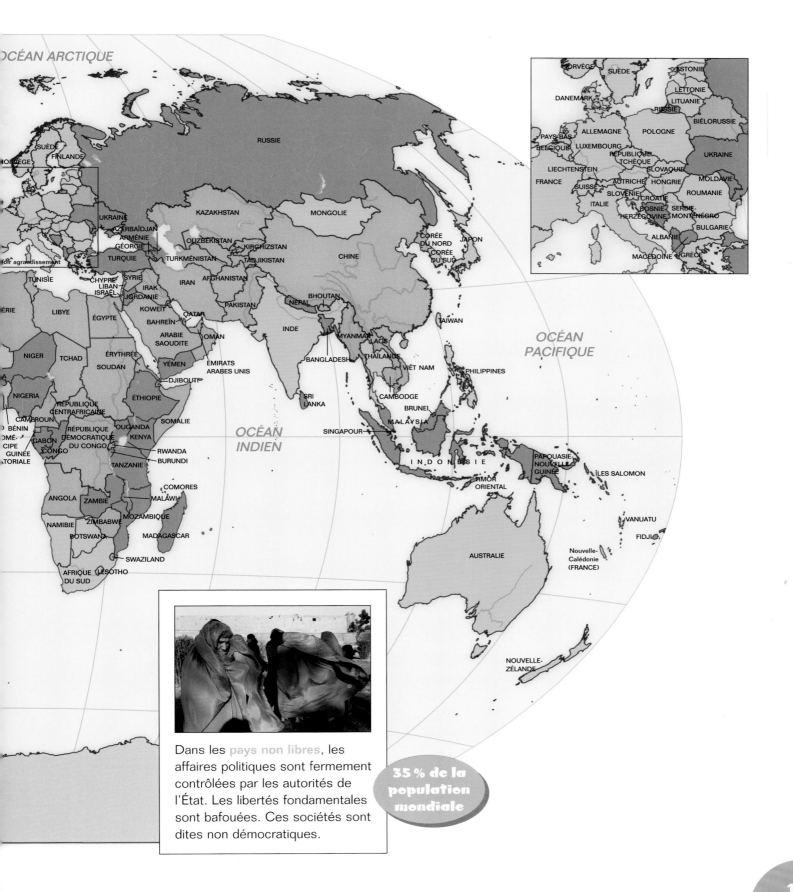

OCÉAN ARCTIQUE

OCÉAN PACIFIQUE

OCÉAN INDIEN

OCÉAN ARCTIQUE

SUÈDE
NORVÈGE
FINLANDE

RUSSIE

UKRAINE
AZERBAÏDJAN
ARMÉNIE
GÉORGIE

voir agrandissement

TUNISIE

TURQUIE

KAZAKHSTAN

MONGOLIE

CHYPRE
LIBAN
ISRAËL

SYRIE
IRAK
JORDANIE

OUZBEKISTAN

KIRGHIZSTAN

TURKMÉNISTAN

TADJIKISTAN

CHINE

CORÉE
DU NORD
CORÉE
DU SUD

JAPON

ÉRIE

LIBYE

ÉGYPTE

IRAN

AFGHANISTAN

KOWEÏT

QATAR

PAKISTAN

NÉPAL

BHOUTAN

TAIWAN

NIGER

TCHAD

ÉRYTHRÉE

BAHREÏN

ARABIE
SAOUDITE

OMAN

INDE

MYANMAR

LAOS

SOUDAN

YÉMEN

ÉMIRATS
ARABES UNIS

BANGLADESH

THAÏLANDE

VIÊT NAM

PHILIPPINES

DJIBOUTI

NIGERIA

ÉTHIOPIE

SRI
LANKA

CAMBODGE

BRUNEI

RÉPUBLIQUE
CENTRAFRICAINE

SOMALIE

SINGAPOUR

MALAYSIA

CAMEROUN

BÉNIN

OUGANDA
KENYA

OMÉ-
CIPE
GABON
GUINÉE
ÉTORIALE

RÉPUBLIQUE
DÉMOCRATIQUE
DU CONGO

CONGO

RWANDA
BURUNDI

TANZANIE

INDONÉSIE

PAPOUASIE-
NOUVELLE-
GUINÉE

ÎLES SALOMON

TIMOR
ORIENTAL

COMORES

ANGOLA

ZAMBIE

MALAWI

MOZAMBIQUE

NAMIBIE

ZIMBABWE

VANUATU

FIDJI

BOTSWANA

MADAGASCAR

SWAZILAND

AFRIQUE
DU SUD

LÉSOTHO

AUSTRALIE

Nouvelle-
Calédonie
(FRANCE)

NOUVELLE-
ZÉLANDE

NORVÈGE
SUÈDE
ESTONIE
DANEMARK
LETTONIE
LITUANIE
RUSSIE
BIÉLORUSSIE
PAYS-BAS
ALLEMAGNE
POLOGNE
BELGIQUE
LUXEMBOURG
UKRAINE
RÉPUBLIQUE
TCHÈQUE
LIECHTENSTEIN
SLOVAQUIE
FRANCE
AUTRICHE
HONGRIE
MOLDAVIE
SUISSE
SLOVÉNIE
ROUMANIE
ITALIE
CROATIE
BOSNIE-
HERZÉGOVINE
SERBIE
MONTÉNÉGRO
ALBANIE
BULGARIE
MACÉDOINE
GRÈCE

Dans les pays non libres, les affaires politiques sont fermement contrôlées par les autorités de l'État. Les libertés fondamentales sont bafouées. Ces sociétés sont dites non démocratiques.

35 % de la population mondiale

LA POLLUTION ET LES RISQUES ENVIRONNEMENTAUX DANS LE MONDE D'AUJOURD'HUI ET DE DEMAIN

En Amérique du Nord, une forte consommation d'énergie par habitant contribue à l'effet de serre et aux changements climatiques.

En Amérique du Sud, la coupe forestière progresse dans plusieurs pays et menace la diversité des espèces vivantes.

AMÉRIQUE DU NORD

OCÉAN ATLANTIQUE

OCÉAN PACIFIQUE

AMÉRIQUE DU SUD

LÉGENDE

QUELQUES EFFETS DE LA POLLUTION

- Eau fortement polluée
- Eau polluée
- Eau fréquemment polluée par les pétroliers
- Région de pluies acides
- Importante marée noire
- Accident de centrale nucléaire
- Cours d'eau fortement pollué

PRINCIPAUX RISQUES RELIÉS AUX CHANGEMENTS CLIMATIQUES

- Inondation des côtes
- Désertification ou sécheresse
- Tempête
- Pénurie d'eau
- Modification de la végétation

Sources : Solonel, 2000 ; Collectif, 1998.

L'état de l'environnement dans le monde

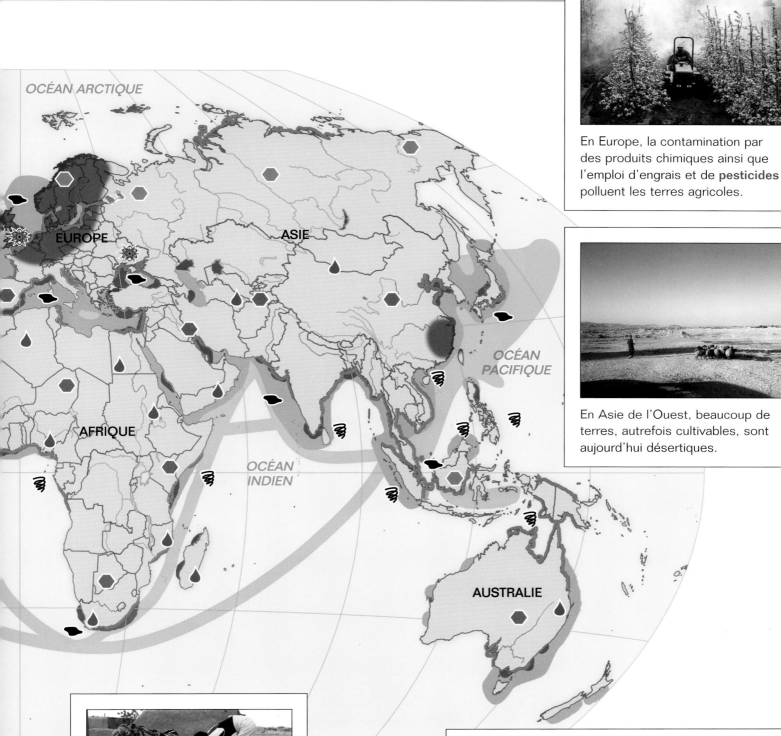

En Europe, la contamination par des produits chimiques ainsi que l'emploi d'engrais et de **pesticides** polluent les terres agricoles.

En Asie de l'Ouest, beaucoup de terres, autrefois cultivables, sont aujourd'hui désertiques.

En Afrique, de nombreux pays font face à des pénuries d'eau potable.

En Asie de l'Est, l'**urbanisation** et l'**industrialisation** rapides augmentent la pollution côtière et la pollution de l'air.

OCÉAN ARCTIQUE

EUROPE

ASIE

OCÉAN PACIFIQUE

AFRIQUE

OCÉAN INDIEN

AUSTRALIE

LES ENFANTS DANS LE MONDE

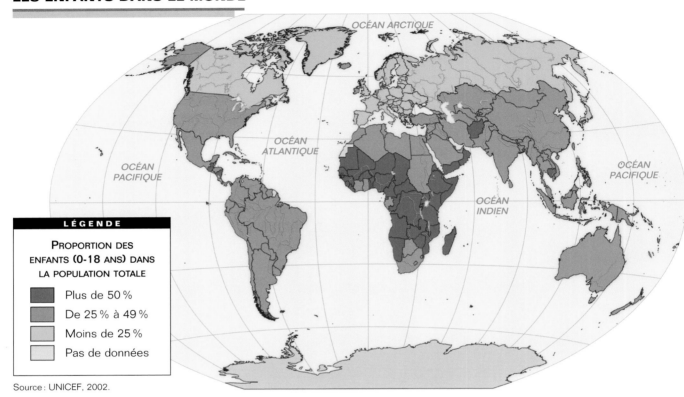

LÉGENDE

PROPORTION DES ENFANTS (0-18 ANS) DANS LA POPULATION TOTALE

- Plus de 50 %
- De 25 % à 49 %
- Moins de 25 %
- Pas de données

Source : UNICEF, 2002.

LES ENFANTS ET L'ÉCOLE PRIMAIRE

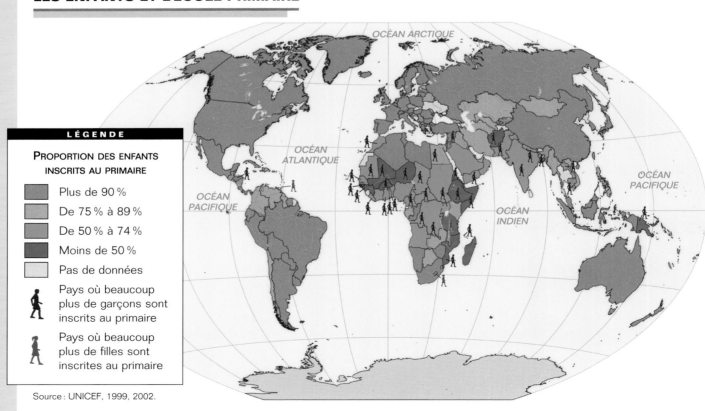

LÉGENDE

PROPORTION DES ENFANTS INSCRITS AU PRIMAIRE

- Plus de 90 %
- De 75 % à 89 %
- De 50 % à 74 %
- Moins de 50 %
- Pas de données
- Pays où beaucoup plus de garçons sont inscrits au primaire
- Pays où beaucoup plus de filles sont inscrites au primaire

Source : UNICEF, 1999, 2002.

La situation des enfants dans le monde

LES ENFANTS ET LA SANTÉ

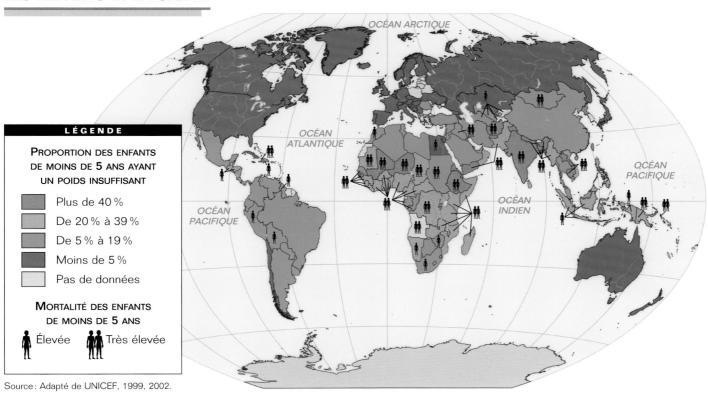

LÉGENDE

PROPORTION DES ENFANTS DE MOINS DE 5 ANS AYANT UN POIDS INSUFFISANT

- Plus de 40 %
- De 20 % à 39 %
- De 5 % à 19 %
- Moins de 5 %
- Pas de données

MORTALITÉ DES ENFANTS DE MOINS DE 5 ANS

Élevée   Très élevée

Source : Adapté de UNICEF, 1999, 2002.

LES ENFANTS ET LE TRAVAIL

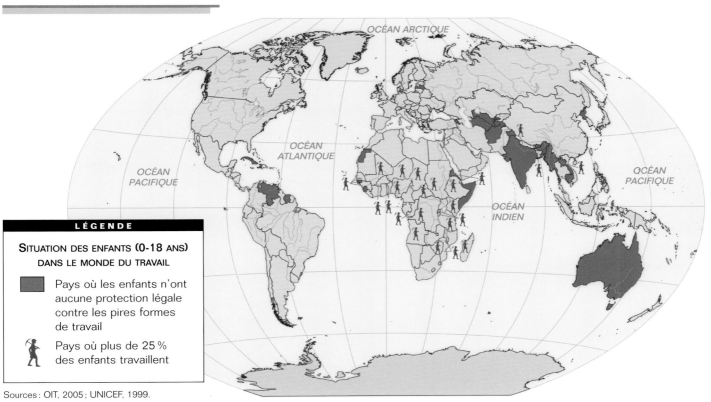

LÉGENDE

SITUATION DES ENFANTS (0-18 ANS) DANS LE MONDE DU TRAVAIL

- Pays où les enfants n'ont aucune protection légale contre les pires formes de travail
- Pays où plus de 25 % des enfants travaillent

Sources : OIT, 2005 ; UNICEF, 1999.

Glossaire

A

Activité de services : Service offert à la population. Exemples : l'administration, le commerce, la recherche, la santé, l'éducation, les services sociaux.

Allié : Ami.

Altitude : Hauteur d'un point mesurée en mètres à partir du niveau moyen de la mer.

Ancestral : Relatif aux ancêtres.

Andouiller : Ramification des bois du cerf et des autres cervidés.

Archéologue : Spécialiste de l'archéologie. Cette science étudie les activités des humains à partir des traces matérielles du passé.

Astrolabe : Instrument de navigation qui permettait de s'orienter en utilisant la position des étoiles pour déterminer la latitude.

Atout : Avantage d'un territoire. Exemples : un climat doux, un sol fertile, un relief de plaine, des richesses naturelles.

Autochtone : Personne originaire du lieu où elle habite. Au Québec, les Amérindiens et les Inuits sont des Autochtones.

B

Baby-boomer : Personne née à la fin des années 1940 ou au début des années 1950.

Ballot : Paquet de peaux.

Bassin hydrographique : Territoire dont les eaux s'écoulent vers une grande masse d'eau. Exemple : un océan.

Blocus : Opération militaire et économique visant à empêcher un pays d'avoir accès à un continent.

Bourgeoisie : Classe sociale qui possède les banques et les entreprises et qui ne travaille pas de ses mains.

Bovin : Bœuf, vache et veau.

C

Cageux : Homme qui dirige les radeaux de billots sur l'eau.

Caravelle : Petit navire à voiles utilisé au 15ᵉ et au 16ᵉ siècle.

Carriole : Voiture d'hiver sur patins tirée par des chevaux.

Carte marine : Représentation plane d'une partie des mers et des océans, qui est utilisée par les navigateurs.

Cartographie : Ensemble des techniques qui servent à faire une carte géographique.

Censitaire : Colon qui occupe un lot dans une seigneurie.

Chantier naval : Partie d'un port réservée à la construction des bateaux.

Chaume : Paille longue utilisée pour recouvrir le toit des habitations.

Classe ouvrière : Classe sociale regroupant les personnes qui travaillent manuellement et qui partagent les mêmes conditions de vie.

Colonisation : Action qui consiste à s'installer sur de nouvelles terres pour les mettre en valeur.

Coloniser : S'installer sur de nouvelles terres pour les mettre en valeur.

Concéder : Accorder le droit d'exploiter une terre.

Confédération : Au Canada, regroupement des provinces et des territoires sous l'administration d'un gouvernement central. Exemple : la Confédération canadienne.

Constitution : Ensemble des lois et des textes d'un pays qui établissent la forme de son gouvernement.

Continent : Grande étendue de terre comprise entre des océans, qui constitue une partie du monde.

Continentalité : Caractère climatique des terres situées à l'intérieur d'un continent.

Contrainte : Inconvénient d'un territoire. Exemples : un climat très froid, un sol peu fertile, un relief accidenté.

Convertir au catholicisme : Convaincre des personnes par la force ou les arguments de devenir catholique.

D

Débit : Volume d'eau qui s'écoule en un point donné d'un cours d'eau. Il se mesure en mètres cubes par seconde.

Décennie : Période de dix ans.

Défricher : Préparer un terrain pour qu'il soit propre à l'agriculture : couper les arbres, enlever les souches, aplanir, etc.

Démocratie : Système politique dans lequel le peuple exerce un pouvoir par l'intermédiaire de représentants élus.

Dialecte : Variante régionale d'une langue.

Diligence : Voiture à quatre roues tirée par des chevaux et qui servait surtout au transport des voyageurs.

Domicilié : Se dit d'un Amérindien qui a quitté son territoire ancestral pour habiter une mission établie par les Européens.

E

Écluse : Ouvrage aménagé entre deux plans d'eau pour permettre aux navires de franchir une dénivellation.

Émigration : Action qui consiste à quitter son pays pour aller s'établir dans un autre pays.

Empire : Ensemble d'États ou de territoires (colonies) dirigés par un gouvernement central.

Équateur : Grand cercle imaginaire qui sépare la sphère terrestre en deux parties égales : l'hémisphère Nord et l'hémisphère Sud.

Étain : Métal blanc et mou qu'on peut travailler facilement.

Exportation : Vente à l'étranger de biens ou de services.

F

Famille linguistique : Ensemble de langues et de dialectes partageant des caractéristiques communes.

Faubourg : Quartier d'une ville situé en dehors de ses fortifications.

Fuseau horaire : Division imaginaire de la surface de la Terre affichant la même heure.

G

Gouvernail d'étambot : Appareil qui permet de diriger un navire.

H

Hydroélectricité : Électricité produite à partir de la force des cours d'eau.

Hydroélectrique : Relatif à la production d'électricité au moyen des cours d'eau.

I

Immigration : Action qui consiste à venir dans un pays pour s'y établir.

Indigotier : Plante des régions chaudes autrefois utilisée pour fabriquer une teinture bleue.

Industrialisation : Ensemble de changements économiques et sociaux qui ont favorisé l'apparition et le développement d'entreprises industrielles.

Infrastructure : Ensemble des équipements essentiels au développement économique d'une société. Exemples : les routes, les voies ferrées, les ports, les aéroports.

Irriguer : Apporter de l'eau artificiellement à un terrain cultivé.

L

Latitude : Distance d'un point à la surface de la terre par rapport à l'équateur. On parle de latitude Nord et de latitude Sud.

Liberté politique et civile : Droit d'élire un gouvernement et de faire tout ce qui n'est pas défendu par la loi.

Linguiste : Personne qui étudie le langage humain.

Livre : Monnaie anglaise.

Localiser : Indiquer la position d'un lieu sur une carte.

Longitude : Distance d'un point à la surface de la terre par rapport au méridien d'origine de Greenwich. On parle de longitude Est et de longitude Ouest.

Loyaliste : Habitant des Treize Colonies anglo-américaines resté fidèle au roi d'Angleterre après la Déclaration d'indépendance des États-Unis d'Amérique.

M

Manufacture : Autrefois, usine où le travail était surtout fait à la main.

Maritime : Relatif à la mer ou à l'océan.

Matière première : Matériau d'origine naturelle qui entre dans la fabrication d'un bien.

Matriarcal : Relatif au matriarcat. Dans cette organisation sociale, la femme exerce un rôle très important.

Méridien : Demi-cercle imaginaire qui va du pôle Nord au pôle Sud.

Métis : Personne issue de l'union de deux personnes de race différente. Au Canada, se dit d'un Autochtone d'ascendance mixte, amérindienne et européenne.

Métropole : Ville principale d'un pays ou d'une province.

Milicien : Civil qui combat aux côtés des soldats d'une armée.

Mission : Lieu de culte, de rassemblement et de travail pour les missionnaires et les personnes converties à la foi catholique.

Missionnaire : Religieux qui convertit à la foi catholique.

Mortalité infantile : Nombre d'enfants morts en bas âge.

Mouiller : Se dit d'un bateau qui jette l'ancre dans un port.

N

Natalité : Nombre des naissances dans une population.

Nationalisation : Achat par l'État d'une entreprise privée.

Nomade : Se dit d'un groupe humain qui se déplace en fonction de ses activités.

O

Occident : Ensemble des pays de l'Europe de l'Ouest et de l'Amérique du Nord.

Océan : Vaste étendue d'eau salée.

P

Parallèle : Cercle imaginaire parallèle à l'équateur servant à mesurer la latitude.

Pêche commerciale : Pêche dont les produits seront vendus.

Pesticide : Produit chimique utilisé pour lutter contre les insectes ou les animaux nuisibles aux cultures.

Plaine : Vaste étendue de terrain plat ou peu accidenté.

Plateau : Vaste étendue de terrain relativement plat, dominant les environs et délimitée par des vallées généralement profondes.

Plomb : Métal gris et très mou qu'on peut travailler facilement.

Point cardinal intermédiaire: Point cardinal situé entre deux points cardinaux. Exemples: le nord-est, le nord-ouest, le sud-est, le sud-ouest.

Poste de traite: Lieu généralement protégé utilisé pour les échanges avec les Autochtones.

Potasse: Minerai utilisé comme engrais.

Prendre possession: S'emparer, s'approprier sans demander le consentement.

Produit fini: Produit prêt à être vendu, qui ne nécessite plus d'autre transformation.

Prospérité: Situation d'un pays ou d'une société dont la richesse s'accroît.

Région administrative: Division du territoire québécois où sont regroupés des services publics et gouvernementaux. Exemples: la police, la protection de l'environnement, l'entretien des routes.

Renaissance: Période de grands changements culturels qui se produit en Europe au 15e et au 16e siècle.

Réserve: Territoire bien délimité que le gouvernement destine aux Amérindiens et sur lequel ceux-ci jouissent de privilèges.

Revendication: Action de réclamer ce qui est considéré comme un droit.

Révolution tranquille: Grand mouvement pacifique de changements que connaît le Québec au cours des années 1960.

Rural: Relatif à la campagne.

Saison végétative: Période de l'année pendant laquelle les plantes croissent.

Sarrasin: Céréale dont la farine est utilisée pour faire des crêpes.

Secteur primaire: Secteur d'activité économique regroupant l'agriculture, la pêche, la chasse et l'extraction des matières premières (le bois, le minerai, etc.).

Secteur secondaire: Secteur d'activité économique regroupant les activités de transformation des matières premières en produits finis (les industries).

Secteur tertiaire: Secteur d'activité économique regroupant les services offerts à la population (l'administration, le transport, le commerce, etc.).

Sédentaire: Se dit d'un groupe humain qui ne se déplace pas.

Sédentarisé: Se dit d'un groupe humain autrefois nomade, mais qui a maintenant un domicile fixe.

Seigle: Céréale habituellement cultivée sur les terres pauvres et froides.

Services sociaux: Ensemble des services relatifs au bien-être de la population.

Société démocratique: Société qui permet à ses membres de choisir ses gouvernants et qui leur reconnaît des droits et des libertés civiles.

Subventionner: Action par un gouvernement (ou un organisme) de verser des sommes nécessaires au fonctionnement d'une collectivité, d'un organisme ou d'une entreprise.

Sujet: Personne soumise à l'autorité d'un roi ou d'une reine.

Syndicalisation: Fait d'appartenir à un syndicat.

Syndicat: Regroupement légal de travailleurs unis pour défendre leurs droits et leurs intérêts.

Traité: Convention ou entente écrite et signée entre deux ou plusieurs États. Exemple: pour mettre fin à une guerre.

Troc: Échange de biens sans avoir recours à de l'argent.

Urbain: Relatif à la ville.

Urbanisation: Transformation de la campagne en ville.

Vallée: Dépression allongée façonnée par un cours d'eau.

Index des sujets

Références bibliographiques

ADAMS, Xavier. *L'Atlas d'histoire*, Laval, Beauchemin, 1998.

BEAULIEU, Alain. *Les Autochtones du Québec : des premières alliances aux revendications contemporaines*, Québec / Saint-Laurent, Musée de la civilisation / Fides, 1997.

BERNAND, Carmen. *Les Incas, peuple du soleil*, Paris, Gallimard, coll. « Découvertes » (n° 37), 1988.

BOUDREAU, Claude, Serge COURVILLE et Normand SÉGUIN. *Le territoire*, Québec / Sainte-Foy, Archives nationales du Québec / Les Presses de l'Université Laval, coll. « Atlas historique du Québec », 1997.

BROWN, Craig (dir.). *Histoire générale du Canada*, Montréal, Éditions du Boréal, 1990.

CARELESS, J.M.S. *Canada : une célébration de notre héritage*, Mississauga, Heritage Publishing House, 1996.

CLERMONT, Normand, Claude CHAPDELAINE et Georges BARRÉ. « Le site iroquoien de Lanoraie : témoignage d'une maison longue », Montréal, Recherches amérindiennes au Québec, 1983.

COLLECTIF. *Le Grand Atlas de l'histoire mondiale*, Paris, Encyclopædia Universalis / Albin Michel, 1985.

COLLECTIF. *Le Grand Atlas des explorations*, Paris, Encyclopædia Universalis, 1991.

COLLECTIF. *Mon grand atlas illustré*, Paris, Sélection du Reader's Digest, 1998.

COOKE, Jacob Ernest (dir.). *Encyclopedia of North American Colonies*, New York, S. Scribner's Sons, 1993.

COULOMBE, Vincent et Bruno THÉRIAULT. *Atlas Beauchemin*, Laval, Beauchemin, 1999.

COURVILLE, Serge (dir.). *Population et territoire*, Sainte-Foy, Les Presses de l'Université Laval, coll. « Atlas Historique du Québec », 1996.

COURVILLE, Serge. *Le Québec, genèses et mutations du territoire : synthèse de géographie historique*, Sainte-Foy, Les Presses de l'Université Laval, 2000.

DE KONINCK, Rodolphe et collab. *Le grand atlas du Canada et du monde*, Montréal / Bruxelles, ERPI / DeBoeck, 2002.

DELÂGE, Denis. *Le pays renversé : Amérindiens et Européens en Amérique du Nord-Est, 1600-1664*, Montréal, Boréal, 1991.

DESCHÊNES-DAMIAN, Luce et Raymond DAMIAN. *Atlas d'histoire du Canada*, Montréal, Guérin, 1990.

DICKASON, Olive Patricia. *Les premières nations du Canada*, Sillery, Les Éditions du Septentrion, 1996.

DUBY, Georges. *Atlas historique mondial*, Paris, Larousse, 2000.

FAVRE, Henri. *Les Incas*, Paris, Presses universitaires de France, 2003.

GENTILCORE, R. Louis (dir.). *Atlas historique du Canada, tome II : La transformation du territoire 1800-1891*, Montréal, Les Presses de l'Université de Montréal, 1993.

GERMAIN, Georges-Hébert. *Les coureurs des bois. La saga des Indiens blancs*, Outremont, Libre Expression, 2003.

GOUVERNEMENT DU CANADA. *Les Indiens du Canada*. Affaires indiennes et du Nord du Canada, Ottawa, 1990.

GOUVERNEMENT DU QUÉBEC. *Le Québec, peuplement du territoire* [affiche], 2001.

GOUVERNEMENT DU QUÉBEC. *Le Québec statistique 2002*, Québec, Institut de la statistique du Québec, 2002.

HARRIS, R. Cole (dir.). *Atlas historique du Canada I : Des origines à 1800*, Montréal, Les Presses de l'Université de Montréal, 1987.

HAYES, Derek. *Historical Atlas of Canada, Canada's History Illustrated With Original Maps*, Vancouver / Toronto, Douglas & McIntyre, 2002.

KERR, Donald G.G. et Deryck W. HOLDSWORTH (dir.). *Atlas historique du Canada, tome III : Jusqu'au cœur du XXe siècle 1891-1961*, Montréal, Les Presses de l'Université de Montréal, 1990.

LABERGE, Marc. *Affiquets, matachias et vermillon : ethnographie illustrée des Algonquiens du nord-est de l'Amérique aux XVIe, XVIIe et XVIIIe siècles*, Montréal, Recherches amérindiennes au Québec, 1998.

LACOURSIÈRE, Jacques, Jean PROVENCHER et Denis VAUGEOIS. *Canada-Québec Synthèse historique 1534-2000*, Sillery, Les Éditions du Septentrion, 2001.

LAFLEUR, Normand. *La vie traditionnelle du coureur des bois aux XIXe et XXe siècles*, Ottawa, Leméac, 1973.

LANGLOIS, Simon. *La société québécoise en tendances : 1960-2000*, s.l., s.n., 2000.

LANGROGNET, Michel et Agnès MATHIEU. *Grand Atlas pour le XXIe siècle*, Montréal, Libre Expression, 2001.

LINTEAU, Paul-André, René DUROCHER et Jean-Claude ROBERT. *Histoire du Québec contemporain Tome I : De la Confédération à la crise (1867-1929)*, Montréal, Éditions du Boréal, 1989.

LINTEAU, Paul-André, René DUROCHER, Jean-Claude ROBERT et François RICARD. *Histoire du Québec contemporain Tome II : Le Québec depuis 1930*, Montréal, Éditions du Boréal, 1989.

MALINOWSKI, Sharon (dir.). *The Gale Encyclopedia of Native American Tribes*, Détroit, Gale, 1998.

MARSH, James H. *L'encyclopédie Canada 2000*, Montréal, Les Éditions internationales Alain Stanké, 2000.

MATHIEU, Jacques. *La Nouvelle-France : les Français en Amérique du Nord, XVIe-XVIIIe siècle*, Sainte-Foy, Les Presses de l'Université Laval, 2001.

MINISTÈRE DE L'ÉDUCATION DU QUÉBEC. *Programme de formation de l'école québécoise. Version approuvée*, Québec, 2001.

MIRZA, Sandrine. *Mayas, Aztèques et Incas*, Paris, Nathan, 2003.

PROVENCHER, Jean. *Chronologie du Québec 1534–2000*, Montréal, Éditions du Boréal, 2000.

SAINT-YVES, Maurice. *Atlas de géographie historique du Canada*, Boucherville, Éditions françaises, 1982.

SAINT-YVES, Maurice. *Atlas Larousse canadien*, Boucherville, Éditions françaises, 1990.

SIMARD, Jean-Jacques. « Ce siècle où le Québec est venu au monde », dans Côté, Roch (dir.), *Québec 2000*, Montréal, Fides, 1999, p. 17-77.

SOLONEL, Michel (dir.). *Le Monde : grand atlas contemporain*, Anjou, Les Éditions CEC, 2000.

STANFORD, Quentin H. *Atlas mondial Oxford*, Montréal, Les Éditions de la Chenelière, 2004.

TRIGGER, Bruce. *Les Enfants d'Aataentsic : l'histoire du peuple huron*, Montréal, Libre Expression, 1991.

TRUDEL, Marcel. *Atlas de la Nouvelle-France*, Québec, Les Presses de l'Université Laval, 1973.

TRUDEL, Marcel. *La carte de Champlain en 1632 : ses sources et son originalité*, s.l., s.n., 1978.

Sites web

Les sites web consultés pour la rédaction de cet ouvrage sont les suivants : Freedom House, L'Atlas du Canada, L'Encyclopédie canadienne, Musée virtuel de la Nouvelle-France, OIT, ONU, UNICEF.

Sources des photos, des illustrations, des tableaux et des graphiques

Illustrations

Back, Francis
p. 22-23 (village iroquoien) • 41 (Cartier sur son bateau) • 48-49 (poste de traite) • 55 (soldat)

Berthou, Cyril
p. 31 (coupe schématique)

Bouchard, Jocelyne
p. 21, 27, 49 (animaux)

Bourrelle, Stéphane
p. 16 (globe) • 16-17, 42-43, 58-59, 80-81, 96-97 (lignes du temps) • 81, 96-97 (drapeaux)

Chaussée, Monique
p. 32-33 (village, culture, aqueduc) • 64 (ville, maison, tonnelier) • 68-69 (mission) • 85 (Montréal) • 87 (*Accommodation*)

Delezenne, Christine
p. 37, 39, 71, 79, 93 (parchemin)

Fontaine, Frédéric
p. 21 (conifères, feuillus, arbustes)

Grant, Michel
p. 33 (lama) • 62 (carottes, poule)

Rousseau, Serge
p. 85 (cageux)

Thériault, Éric
p. 16 (château) • 21 (épinette, plantes basses, lichens) • 24-25 (pictogrammes amérindiens) • 26-27 (Algonquienne, canot, outils) • 28-29 (pictogrammes amérindiens) • 33 (feu, laine) • 34-35 (Inca, organisation sociale, pont, route) • 37 (épices, caravelle) • 47 (milieux naturels) • 49 (missionnaire, religieuse, coureur des bois) • 50 (seigneur, colon, aliments) • 59 (têtes) • 62 (campagne) • 66-67 (pictogrammes) • 71 (têtes, colon) • 75 (marchand, bateau) • 79 (tête, peuple) • 80 (arbres coupés) • 87 (diligence, train) • 92 (locomotive)

Vachon, Jean-François
Pictogrammes des bandelettes (castor, chapeau, fourche, scie, radio) • 24-25 (scènes de vie des Algonquiens) • 27 (masque) • 28 (Iroquoiennes dans une maison longue) • 29 (chef algonquien) • 29 (scène de vie algonquienne) • 39 (explorateurs) • 47 (Champlain, Maisonneuve, Laviolette) • 49 (chapeau) • 50-51 (seigneuries) • 56 (attaques, fort) • 72-73 (vallée du Saint-Laurent) • 75 (religieuse) • 104-105 (campagne, ville)

Photos

AKG-images
p. 85 (Napoléon)

Alphapresse
p. 106 (chambre, R. Meloche) • 113 (quartier, église, R. Meloche) • 117 (conifères, Guy Boily; brume, Matthieu Lamarre) • 118 (arbres géants, Larry MacDougal) • 125 (foule, J. Greenberg/ Peter Arnold) • 129 (foule, Marc Vérin/Photononstop) • 133 (pesticides: A. Riedmiller, mégalopole: Markus Dlouhy) • 133 (cheminée, Deb Kushal/UNEP)

Archives de la Côte-du-Sud et du Collège Sainte-Anne
p. 85 (scierie)

Archives nationales du Canada (ANC)
p. 40 (Jacques Cartier C-011226) • 41 (Cartier/Gaspé C-011050) • 44 (Champlain C-006643) • 44 (combat C-005750) • 52 (Jolliet et Maquette C-008486) • 52 (La Salle C-004569) • 54 (Jean-Talon C-002838 Coloration: Yvon Roy) • 55 (filles du Roy C-010688) • 75 (James Murray C-002834) • 77 (loyalistes C-000168) • 79 (Chambre d'assemblée C-013946) • 87 (canal C-002779) • 88 (ferme Bas-Canada C-010882) • 88 (ferme Haut-Canada C-150509) • 88 (bourg C-001459) • 89 (Québec C-010655) • 90 (Papineau C-040175) • 91 (immigrants C-003904)

Archives nationales du Québec (ANQ), à Montréal
p. 101 (émigration, fonds Armour Landry, P97) • 106 (infirmière, fonds Antoine Désilets) • 106 (autoroute, fonds Office du film du Québec: E6, S7, SS1, D622985, photo: Gilles Richard, 1962) • 107 (manifestation, fonds du Syndicat des métallurgistes unis d'Amérique – district n° 5, PA1444/9A.1,43)

Archives nationales du Québec (ANQ), à Québec
p. 46 (Abitation/Aquarelle de Léonce Cuvelier, s.d.) • 87 (Q E21, Province 2/Topographical map of the district of Montreal, Lower Canada [...]/Joseph Bouchette, père, 1831 [extrait]) • 106 (Marie-Claire Kirkland-Casgrain, L. Bouchard)

Archives Radio-Canada
p. 107 (Paul Gérin-Lajoie; René Lévesque)

Associated Press
p. 112 (pollution, Rob Stapleton)

Bibliothèque et Archives Canada
p. 98 (abattage PA-047736) • 101 (colonisation, George McDougall, PA-134846)

Bibliothèque nationale de France
p. 37 (portulan) • 44-45 (carte de Champlain)

Bibliothèque nationale du Canada
p. 44-45 (carte de Champlain) • 102 (soupe populaire, PA-168131)

Buffalo Bill Historical Center
p. 52 (Radisson, Des Groseilliers)

CD Fruits and vegetables
p. 112 (fruits)

CD Nature scenes
p. 119 (forêt boréale)

Corbis/Magma
p. 30 (volcans, Dave G. Houser) • 126 (forêt, Dewitt Jones) • 130 (guerre, Reuters) • 132 (trafic, Jim Sugar)

Corel
p. 112 (fruits)

Côté, Gaston
p. 121 (Rocheuses)

D. Prom Peru/D. Carlos Sala
p. 30 (forêt)

Élections Canada
p. 131 (femme)

FAO
p. 133 (désertification, R. Faidutti; puits, John Isaac)

Fonds Hydro-Québec
p. 107 (barrage) • 111 (chantier, H1/700964, série Relations publiques, n° 69-5040c)

Gamma/Ponopresse
p. 130 (manifestation, Raymond Delalande) • 131 (femmes, Louise Oligny)

Geological Survey of Canada
p. 119 (taïga, L. Dredge)

Getty / Photodisc collection
p. 54 (sceau E003561)

Global aware
p. 132 (coupe forestière)

Gonzales, Félix Atention et Mitchell, Audrey
p. 114 (village Micmac)

ITHQ
p. 127 (cuisinière)

Lambert, Ginette
p. 121 (basses-terres)

Mégapress
p. 109 (banlieue, Réflexion / Gagné) • 112 (activité non traditionnelle, Stock-Imagery) • 112 (monoparentale, Boucher) • 113 (marathon, Réflexion / Gagné)

Ministère des Ressources naturelles
p. 119 (forêt mixte)

Ministère des Travaux publics
p. 95 (Amérindiens, reproduit avec la permission du ministre des Travaux publics et des Services gouvernementaux du Canada 2003 et la courtoisie de la Commission géologique du Canada de Ressources naturelles Canada)

Musée canadien des civilisations
p. 37 (astrolabe : n° 989.56.1) • 54 (Louis XIV, coll. du Séminaire de Québec, fonds Viger-Verreau. *Portrait de Louis XIV*, estampe, album Thomas Aubert de Gaspé [1860]. P32 / 0-297, p. 49)

Musée des sciences et de la technologie du Canada
p. 98 (train, coll. MSTC / CN, n° CN003833)

Musée McCord d'histoire canadienne, Montréal
p. 26 (manteau) • 27 (vase ACC-1337) • 89 (marché M347) • 90 (bataille M4777.6)

Musée McCord d'histoire canadienne, Montréal, Archives photographiques Notman
p. 101 (urbanisation, view-2944) • 103 (ouvrières, MP-1985.31.181) • 103 (banque, MP-0000.2901 ; barrage, View-17248) • 103 (barrage, view-17248)

Musée royal de l'Ontario © ROM
p. 65 (marché) • 89 (faubourg)

Photo Edit
p. 135 (enfants, Michael Newman)

Prentice Hall Archives
p. 95 (publicité)

Protégez-vous
p. 112 (couverture, mai 1980, idéation : Denis Collette & Associés limitée, Alain Vézina)

Publiphoto
p. 32 (objets en or, R. Maisonneuve) • 63 (terres, L. Lisabelle)

Québec en images
p. 109 (ville, département de géographie / DGEC n° 6768) • 109 (campagne, n° 19984, Régis Fournier) • 109 (plateaux, n° 5973, François Ruph) • 114 (église, n° 11985, Magella Girard) • 119 (toundra, Denis Bruneau) • 121, 123 (Bouclier canadien, rivière, Jacques Boudreault) • 121 (Appalaches, Diane Saint-Laurent)

Quine, Peter / Search4Stock
p. 112-113 (drapeau) • 113 (vélo) • 126 (usine)

Romanowsky, Aaron
p. 30 (désert)

Science Photo Library
p. 37 (boussole) • 119 (feuillus, Steve Vowles)

Sertelet, Christophe
p. 30 (cordillère)

Télé-Québec
p. 112 (Passe-Partout)

Terre de Chez Nous
p. 83 (cantons)

Tétreault, Solange
p. 34 (Machu Picchu)

The Gazette
p. 106 (affichage)

The Manitoba Museum
p. 98 (tracteur, Robert Taylor)

Verrault, Michel
p. 127 (Montréal)

Witterborn, Heiko
p. 114 (village inuit, activité traditionnelle)

Tableaux et graphiques[1]

Brown, 2000
p. 65 (La population des villes de la Nouvelle-France vers 1750) • 73 (Face à face) • 85 (Les exportations des deux Canadas vers 1820)

Bureau of the census, U. S. Dept. Of Commerce, 1998
p. 71 (La répartition de la population des Treize Colonies vers 1745)

Environnement Canada
p. 116-117 (climatogrammes)

Gentilcore, 1993
p. 82 (La répartition de la population vers 1820)

Harris, 1987
p. 55 (L'augmentation de la population en Nouvelle-France de 1665 à 1700)

Lacoursière et collab., 2000
p. 55 (La répartition de la population de la Nouvelle-France vers 1660) • 67 (Les exportations de la Nouvelle-France vers 1745) • 73 (Face à face) • 103 (La répartition de la main-d'œuvre au Québec vers 1901)

Statistique Canada
p. 89 (La population des villes du Bas-Canada et du Haut-Canada vers 1830) • 91 (L'évolution de la population des deux Canadas et du Canada-Uni (1814-1851) • 93 (La répartition de la population du Canada-Uni en 1860-1861) • 95 (La population par province ou territoire en 1891) • 98 (La population canadienne en 1901) • 98 (L'origine des immigrants de la côte ouest entre 1896 et 1914) • 99 (L'origine des immigrants des Prairies entre 1896 et 1914) • 101 (L'origine ethnique de la population du Québec en 1901) • 105 (La répartition de la population [du Québec] vers 1901) • 109 (L'origine ethnique de la population du Québec en 1980) • 109 (La répartition de la population [du Québec] vers 1980) • 111 (La répartition de la main-d'œuvre au Québec vers 1980) • 124 (La répartition de la population au Canada en 2001) • 125 (La langue parlée au Québec et au Canada) • 127 (La répartition des secteurs d'activités du Canada en 2002)

[1] Les auteurs ont cru bon d'indiquer les sources de certains tableaux. Les autres données, telles que les renseignements sur la population ou le régime alimentaire, proviennent de différentes sources citées en bibliographie.

LE CANADA POLITIQUE

OCÉAN ARCTIQUE

Mer de Beaufort

ALASKA
(États-Unis)

YUKON

☆ Whitehorse

TERRITOIRES
DU NORD-OUEST

NUNAVUT

☆ Yellowknife

OCÉAN PACIFIQUE

COLOMBIE-
BRITANNIQUE

ALBERTA

Edmonton ★

Fleuve Fraser

Fleuve Nelson

MANITOBA

Vancouver ●
Victoria ★   ● Kelowna
● Abbotsford

● Calgary

SASKATCHEWAN

Saskatoon ●

Regina ★

Winnipeg ★

ÉTATS-UNIS

Cercle polaire arctique

55° N
60° O 65° O 70° N 75° N
160° O 140° O 120° O 100° O
50° N
45° N
40° N

LÉGENDE

FRONTIÈRES

–·–·– Internationale

——— Intérieure

CAPITALES

🍁 Nationale

★ Provinciale

☆ Territoriale

Î.-P.-É. : Île-du-Prince-Édouard